유혹자 매뉴얼

The Natural Guide

유혹자 매뉴얼, The Natural Guide

발   행 | 2018년 6월 27일
저   자 | 홍현성
펴낸이 | 한건희
펴낸곳 | 주식회사 부크크
출판사등록 | 2014.07.15.(제2014-16호)
주   소 | 경기도 부천시 원미구 춘의동 202 춘의테크노파크2단지 202동 1306호
전   화 | 1670-8316
이메일 | info@bookk.co.kr

ISBN | 979-11-272-4239-8

www.bookk.co.kr

유혹자 매뉴얼

홍현성 지음

| 목 차 |

들어가는말 ------------------------------- 5

프롤로그: '성공적인:YES', '남성:MAN', '모임:CLUB' -----------

제 1장: 저항감(resistance)이라는 '친구' -----------------

제 2장: 내츄럴(natural)들에게 있어서 '접근(approach)'은 즐거움이다. -

제 3장: 여성에게 인기가 많은 남성, 'The Natural' -----------

제 4장: 절대적인 자신감(The Core Confidence)을 향하여 -------

제 5장: 인생의 자유, 선택, 그리고 집중된 삶 --------------

제 6장: 역지사지(易地思之)의 정신 -------------------

제 7장: 본질적인 수준의 변화 ----------------------

제 8장: 현시대에 걸맞은 새로운 길, -----------
        The Creators of Innovative Culture.

제 9장: 현존 (Being present to the moment) -------------

제 10장: 즐거움, "Just have fun!" --------------------

제 11장: "Be Real, and 'still' Attractive!" ---------------

제 12장: 항상성(homeostasis)과 '최우선 인생의 가치' ---------

제 13장: Energy and Emotion Model ------------------

제 14장: 내츄럴가이드 ---------------------------

제 15장: 초월적 사고방식, Meta-Frame -----------------

제 16장: 예스맨클럽 YMC 라이프코칭 이성관계전문가 '고수' ------

작가의 말, 유혹의시대 --------------------------

자신감이 없는 내 자신이 싫었다. 고등학교 시절 좋아하는 여자가 생겼을 때에 그녀에게 말 한마디 건네는 것조차 힘들어하는 내 자신이 싫었다. 그녀에게 자신감 있게 말을 거는 다른 남성들을 지켜 볼 때면 내 자신이 너무나도 초라하게 느껴졌다. 이렇게 살다가는 평생 제대로 된 연애로 한번 못해보고 내가 바라는 여자들을 전부 다른 사람들에게 빼앗길 것만 같다는 불안함속에서 인생을 허비했다.

본능적인 위기감을 느낀 나는 변화와 성장을 원하게 되었다. 정말 간절했다. 이러한 자각이 나를 찾아왔을 때에 내가 할 수 있는 것 이라고는 유명한 자기계발서적을 찾아 읽어보는 것이 전부였다. 이후에는 좀 더 나아가 다양한 세미나에 참석하면서 인문학, 성공학, 자신감, 인간관계, 영향력, 처세술 등과 관련된 주제에 대해 깊이 있게 배우기 시작하였다. 나는 어린 시절 엄청난 독서광 이였고 학습하는 것을 게을리 하지 않았지만 현실은 좀처럼 나아지지 않았다. 여전히 이성관계라는 영역은 오래도록 내 삶을 가로막는 거대한 벽과 같이 느껴졌다.

때로는 하늘을 향해 왜 남자와 여자라는 두 개의 성별이 존재하여 나의 삶을 이토록 힘들게 하는지를 한탄하기도 하였다. 인간관계나 이성관계에서의 성공은 내 삶에서는 이룰 수 없는 나와는 전혀 무관한 영역인 것처럼 느껴지는 삶을 살았다. 그러던 중에 나는 군대에서 아주 우연히 '유혹', '매력', 그리고 '권력'에 관한 영어 원서로 된 책들을 읽기 시작하였다. 로버트 치알디니의 설득의 심리학, 로버트 그린의 권력의 법칙, The Mystery Method, 그리고 닐 스트라우스의 The Game 등은 나에게 새로운 세계를 인지하게 해주었다.

나는 강하게 결단하였다. 내가 습득한 새로운 지식들을 내 삶에서 적용하여 실천해보겠다고 말이다. 나는 독서광에서 곧 행동가가 되었다. 내 삶은 일종의 실험장소와 같았고 나는 유혹이나 매력과 관련된 모든 지식을 실제의 삶 속에 빠르게 행동으로 옮겨 적용해보는 '약간은' 엉뚱한 삶을 살게되었다.

"지난 11년이라는 세월동안 나는 오로지 '이성관계'라는 주제에만 몰입된 삶을 살았다. 그 세월속에서 '자신감'과 '커뮤니케이션'의 영역까지 마스터하게 되었다."

스마트폰이 지금처럼 보편화되지도 않았고, 중고등학교를 해외에서 졸업하고 한국에 들어온 내가 여자를 만날 수 있는 기회는 없었다. 나는 이성관계의 성공과 행복을 바랬다. 내가 원하는 이상형의 여성을 만나 사랑을 하고 싶었다.

초창기 결혼정보회사들이 발전해나가기 시작하던 그 시기에 나는 '길거리 헌팅'에 열정을 갖고 실천하기 시작하였다. 20대 초반의 나에게 이성을 소개해줄 사람도 없었을 뿐더러, 여자를 만날 수 있는 방법이나 기회가 전혀 허락되지 않았기 때문이다. 나에게 여자를 만날 수 있는 유일한 길은 사람이 많은 길거리에 나가 마음에 드는 여성에게 직접적으로 접근하여 연락처를 요구하는 것이었다. 아무도 길거리헌팅을 안하던 그 시절에 나는 진심으로 행동하는 것이 두려웠었다. 하지만 나는 행동했다. 왜냐하면 나의 목표의식과 열정이 내가 가지고 있던 두려움을 초월했기 때문이다. 나는 너무나도 성공에 목말라있었고 간절했다. 다시는 이성관계에서 실패하고 싶지 않았다. 내가 원하는 여성을 옆에서 쳐다만 보면서 찌질 하게 말 한마디 건네지 못하는 내 자신이 싫었다. 나는 진심으로 변화를 바랬고 진심으로 여자를 만나 좋은 관계를 유지하고 싶었다. 이성과의 만남과 관계는 나의 '유혹'과 '매력'을 통해 이루어지기를 원했다. 강제적으로 여성을 만나겠다는 생각은 하지도 않았고 '강요', '집착', '구걸', '애원' 등과 같은 찌질 한 모습과 행위를 통해 이루어지는 관계를 원했던 것도 아니다. 내가 좋아하는 여자가 날 더 많이 좋아해주기를 원했고 그것이 곧 내 이성관계의 흔들리지 않는 목표였다.

그렇게 나는 익숙하지도 않고 몸에 맞지도 않는 '길거리헌팅'을 하기 시작했다. 매일같이 1번이라도 길거리헌팅을 꼭 하였고 많이 할 때는 하루에 15번도 넘게 접근을 하였다. 그렇게 열심히 했는데도 불구하고 1년 동안 단 한명의 여자 친구도 사귀지 못했다. 하지만, 딱 1년이 지난 후부터 나는 변해있었다. 이성관계의 성공과 행복은 나에게 있어서 당연한 것이 되었고, 내가 원하는 이상형의 여성을 만나 혼자라는 외로움에서 벗어나 '사랑을 주고받는 것'을 깊이 있게 경험하게 되었다. 나에게 있어서 이러한 변화는 '기적'과도 같았고, 더욱 많은 사람들에게 이러한 기쁜 소식을 전파하고 알리고 싶었다. 나는 그때부터 내가 가진 모든 노하우를 '헌팅'을 하는 사람들과 공유하기 시작했다. 정말 열정적으로 사람들에게 나의 시행착오를 알렸고, 성공하는 법에 대해서 공유를 해 나가기 시작하였다.

그렇게 나는 사람들에게 도움이 되기 시작했고 결국 '강사'로 스카우트가 되어 2010년 10월부터 사람들을 교육하기 시작했다. 그리고 이제는 정말 확실하게 말할 수 있다. "이성을 유혹하는 법은 분명히 존재한다." 그동안 나와 함께 행동과 노력을 해온 수많은 사람들이 이성 관계의 실패자에서부터 변화하여 성공적인 현실을 마주하게 되었다.

이러한 성공은 그들의 외모, 나이, 직업과는 전혀 상관이 없는 현실이었다. 피상적인 것도 첫인상에도 많은 영향을 미치고 분명히 중요한 것은 사실이다. 하지만 값비싼 명품을 온몸에 두르고 있지만 재수 없고 친해지기 싫은 사람이 있는 것처럼 '관계'라는 것은 '무형의 가치'와 많은 연관성을 갖고 있다.

사실 '유혹'이라는 것은 본질적으로 파고들면 너무나도 복잡하고 어렵기 때문에 그것을 이성적으로 이해하는 것은 거의 불가능에 가깝다. 사람이라는 변수가 가진 불확실성이 너무나도 많이 존재하는 것도 사실이고, 사람마다 선호하는 것이 다를 수도 있다. 그럼에도 불구하고 사람은 사람이다. 사람은 감정의 동물이고, 서로에게 영향을 받는다. 더불어 좋은 사람은 오해받을 수도 있지만 대부분의 경우에 좋은 사람으로서 인식이 되는 법이다.

지금부터 나는 무의식적으로 어떻게 하면 다른 사람들을 끌어당기는 강력한 매력을 지닌 성격을 계발할 수 있는지에 대해서 이야기를 해볼까 한다. 껍데기나 가면에 대한 것이 아니라 본질적인 차원에 대한 이야기를 할 것이다. 무형의 가치와 '내면의 풍족함'을 통해 더 큰 풍족함을 끌어당기고, 사람들이 원하고 느끼고 싶어 하는 마음과 감정의 무형적인 가치에 대해서 이야기를 할 것이다.

사실 '유혹'이라는 주제와 영역은 굉장히 위험하기도 하고, 실제로 그것이 가능하다면 사회는 그것을 금지시킬 것이다. 사회는 유혹이라는 주제에 대해 부정적일 수밖에 없다. '유혹자'와 '사기꾼'은 종종 동일한 이미지로 여겨지기도 한다. 그럼에도 불구하고 실제로 모두가 할 수 있는 '잠재된 힘'을 포기할 수는 없는 법이다. 실제로 현실화 시킬 수 있는 것을 부정하고 포기할 수는 없다. 되는 것을 안 된다고 말 할 수도 없을 것이다. 그렇기 때문에 나는 이 책을 쓰게 되었다. 사회가 싫어하는 유혹의 본질과 원리에 대해서 깊이 있게 파헤치고 들어가는 최초의 책이자 어쩌면 유일한 책이 될 수도 있다고 생각한다.

나는 유혹의 힘을 믿는다. 그리고 우리사회에서도 수많은 정치인들이 이러한 유혹의 힘을 아주 강하게 발휘하고 있다. '유혹'은 곧 '권력'과 '설득', '매력', '마음을 끌어당기는 것', '동기부여', '리더십', '남성성과 여성성', '종교', '세뇌', '신뢰' 등의 영역과 아주 밀접한 관계를 이루어내고 있다.

나는 가끔 정치인들이 말하는 것을 볼 때면 그들이 하나같이 전문적인 훈련을 받은 것처럼 느껴지게 된다. 그들의 목소리는 확신에 찬 어조로 힘이 있고 자기 스스로를 신뢰하며 강한 믿음을 갖고 말하는 법을 이해하고 실제로 행하고 있는 경우가 대부분이기 때문이다. 더불어 권력과 감정을 통해 군중에게 영향을 끼치고 간접적으로 그들을 통제하는 것에 능하다. 때로는 자신의 발톱을 숨길 줄도 알며 자신이 원하는 것을 손쉽게 얻어내는 것처럼 보이는 경우가 굉장히 많다. 결국 이 사회 속에서 실리를 챙기며 살아가는 대부분의 사람들은 탁월한 '유혹의 힘'을 사용하는 자들인 것이다.

모든 사람에게는 이러한 유혹의 힘이 내재되어 있다고 믿는다. 그렇기 때문에 우리는 이러한 힘을 깨워야하고 사용할 수 있도록 준비된 자가 되어야만 할 것이다.

우리나라는 가부장제도와 남성우월주의라는 극단적인 남성선호사상에서부터 출발을 하여 이후에 '역차별'이라는 말이 생길정도로 여성들을 보호하고 감싸주는 사회의 분위기와 형태로 발전해왔다. 현재도 이러한 논란거리가 많이 발생을 하고 있으며 남자 vs 여자라는 프레임이 지속적으로 발생하고 있다.

사실 유혹이라는 것은 남자와 여자의 함께함이고, 서로가 서로에게 협력하는 것이다. 결국 유혹을 잘하면 잘할수록 반대로 '유혹을 잘하는 이성'을 만나게 되어있다. 끼리끼리 논다는 말처럼, 같은 수준의 이성을 만나게 되는 것이다. 내 삶과 많은 이들의 삶이 이를 증명한다. 쉽게 말해서 매력적인 남성은 보통 매력적인 여성과 교재를 한다는 이야기이다.

유혹의 힘에 대해 가르치고 교육을 하면서도 마음 한편에는 혹시라도 이러한 능력을 잘못된길로 사용하지는 않을까란 걱정도 생긴다. 마치 '무술'이라는 것이 다른 사람을 지킬 수도 있지만 해를 가할 수가 있는 능력인 것처럼 말이다. 유혹이라는 것은 사람의 마음을 얻는 능력이고, 이러한 능력을 통해서 우리는 행복하고 이상적인 관계에 도달 할 수도 있지만, 그 반대로 다른 누군가에게 상처를 주고 부당이득을 얻을 수도 있기 때문이다. 아마 이러한 이유 때문에 사회는 유혹의 힘을 부정하고 금지하는 것처럼 느껴진다. '권력'에는 항상 '책임'이 따르고, 이 책을 읽는 분들이 '유혹의 힘'을 얻게 된다고 할지라도 꼭 자신의 행동에 책임을 질 수 있는 자들이 되기를 바래본다.

어떠한 특수한 지식들은 '비밀(The Secret)'로서 소수만이 아는 선에서 머무르게 되는 이유도 분명히 있을 것이다. 유혹을 하는 능력은 곧 한 개인의 '존재감'과 '영향력'이라고 할 수도 있는데 이러한 힘이 강하면 그 힘을 바탕으로 사이비교주가 될 수도 있을 것이다. 실제로 못생긴 외모에 작은 키에도 불구하고 여자들을 성공적으로 유혹했던 한 수강생은 현재 실제로 사이비교주가 되기도 하였다.

존재감과 영향력을 통한 긍정적인 측면에는 다른 사람들과 빠르게 친밀한 관계에 도달하고 깊은 관계를 통해 서로의 외로움과 부족함을 채우고, 신뢰관계를 구축하며 타인을 쉽게 설득하고 자신의 존재감을 바탕으로 요구하고 순응을 얻어낼 수 있는 힘을 갖게 된다는 것이다.

유혹의 중심에는, "나에게 더불어 상대방에게도 좋은 것."이 항상 함께 내포되어있어야만 한다. 그래야만 유혹은 실현가능한 현실이 될 수가 있다. 나에게만 좋은 이기적인 것으로는 상대방을 유혹할 수는 없는 법이다.

유혹은 또한 보상이 크고 심적으로 끌리지만 행하면 안 되는 것을 행하게 만드는 힘이기도 하다. 그렇기 때문에 사전적으로도 '유혹'이라는 단어는 부정적이다. 하지만 만약에 많은 여성들이 하면 안 되는 것이지만 은밀하게 그것을 모두 행하고 있다면 반드시 유혹능력은 키워야만 하지 않은가? "나를 만나고 있지 않은 여성은 분명히 다른 남성을 만난다." 유혹능력을 키우면 키울수록 더 큰 이득을 챙기면서 인생을 살아갈 가능성이 매우 커진다.

이 책은 나의 욕심으로만 만들어진 것은 아니다. 이 책은 현대사회를 살아가는 많은 사람들의 요구와 수요에 의해 만들어진 것이다. 우리에게는 사실 이성 관계에서의 유혹능력이 필수적인 것이 되어버렸다. 왜냐하면 불과 100년 전만 해도 여성에게 밥을 사줄 수 있는 능력은 곧 이성관계의 성공을 의미했다. 하지만 시대는 변했고 여성들은 자신이 원하는 밥을 사먹을 수 있는 능력과 풍족함 속에 각자의 개성과 취향으로 무장한 상태가 되어버렸다. 심지어 여성들이 남성보다 이성 관계에서 더 강한 권력을 행사하기도 한다.

21세기 포스트모더니즘의 시대 속에서 이제 우리는 '수요자중심'으로 이 세상을 한번 바라봐야 할 것이다. 즉 여성에게 비싼 밥을 사준다고 해서 이성 관계의 성공이 이루어지는 것이 아니라는 것이다. 시대는 변화하였다. 우리도 여기에 맞게 진화를 이루어내야만 한다.

"이 책을 통해 많은 사람들의 수고를 덜어내고, 시행착오를 최소화 하며, 본질적인 유혹능력을 키워내는 확실한 '유혹자매뉴얼, The Natural Guide'를 제공하고자 한다."

우리는 풍족한 사회에 살아가고 있다. 이미 충족된 가치나 요구를 채워주는 것은 무의미하다. 배가 이미 부른 사람에게 아무리 비싼 밥을 제공해준다고 할지라도 그 밥을 스스로 원해서 먹게 만들기는 어려운 것이다. 배부른 사람에게 음식을 강제로 먹일 수도 없는 법이다. 너무나도 많은 사람들이 그 어려운 길로 가고 있는 것처럼 느껴진다.

우리나라는 배고픔에 굶어죽는 사람보다 우울함속에 자살하는 사람들이 더 많다. 참 가슴 아픈 현실이지만 이러한 현실만 보더라도 우리가 어떤 존재가 되어야하는지에 대한 방향성을 어렴풋이 이해할 수 있을 것이란 생각을 해본다.

"이성을 좋아하고 사랑하라. 이성의 마음을 얻기 위해 본질적인 노력을 해라. 그리고 이성애자로서의 성공적이고 행복한 삶을 살아라."

자신이 좋아하는 여자가 자신을 좋아하도록 만드는 것은 절대로 '죄'가 아니다. 만약 이 사회가 그것을 '죄'라고 정의한다고 할지라도 우리는 그것을 행해야만 할 것이다. 100년 전 '밥을 사주면 해결되는 연애의 시대'에서 이제는 '유혹을 통한 연애의 시대'로 변화하였다. 반드시 '이성을 유혹하는 능력'을 키워내야만 한다. 앞으로 우리가 살아갈 미래에는 이러한 유혹의 능력이 우리에게 반드시 필요한 능력이란 자각이 더욱 깨어나게 될것이다.

홍현성

■ 프롤로그: '성공적인:YES', '남성:MAN', '모임:CLUB' (이하 YMC)

"처음 수영장의 차가운 물속에 들어갈때에는 몸이 얼어붙고 극심한 추위를 느낄지도 모른다. 하지만 찬물에 적응이 되는 순간 누구나 차가운 물이라는 사실을 잊은채 즐거운 마음으로 물속에서 헤엄치며 놀게된다."

현대사전(Urban Dictionary)이라는 해외 사이트에서 *Natural* 이라는 단어를 검색해보면 이러한 해설이 나온다. **"친구, 소유물, 직장동료, 혹은 SNS를 기반으로 하지 않고 (완벽히 낯선 사람을) 자신의 순수한 노력의 결과로서 유혹에 성공하는 남성/여성"**

이 책은 현대사회의 '이성관계의 변화'에 맞춰 그에 적응하고 살아남기 위한 유혹자들을 위해 쓰여졌다. 바로 위에서 언급한 내츄럴이라는 사전적인 개념을 실제 자신의 삶에 적용하고 현실화 시킬수있는 고민과 해결책으로 이루어진것이 바로 이 책이라 할수있다.

나는 내츄럴이란 "이성을 유혹하는 행위를 의식적인 수준에서 무의식적인 수준으로 자연스럽게 행하며 존재감과 영향력을 발휘하는 사람"이라고 말하고 싶다. 즉 유혹의 영역에서 뛰어난 능력을 발휘해내는 사람이 바로 내츄럴인 것이다.

지난 11년동안 나는 '유혹자'라는 주제에 푹 빠져살아왔다. 이성관계에서의 성공과 행복, 자신감을 키우는 법, 커뮤니케이션 능력을 향상시키는 법 등을 연구하였고 특정한 경지에 올라 많은 사람들에게 인정을 받게 되었다. 내가 그동안 경험하고 배우고 가르쳐온것을 바탕으로 하여 '유혹의 경지'에 오를수 있는 명확한 방향성을 제시해보고자 한다.

경제적인 성공이란 측면에서 보면 '금수저형'과 '자수성가형'이 존재한다고 구분지을수가 있다. 이성관계에도 이처럼 금수저형과 자수성가형 유혹자들이 존재한다고 믿는다. 금수저형의 유혹자들이 이 글을 보게된다면 자신을 되돌아볼수있는 기회가 될것이고, 자수성가형 유혹자들은 이 글을 보고 매일같이

1%라도 더 성장하는 삶을 살아가게 될것이라 믿는다.

내가 이성과의 만남과 관계속에서 오랜시간동안 큰 권력을 누리고 살았던 것처럼 누구나 후천적인 노력을 통해 위대한 유혹자가 될수있다고 생각한다. 명확한 실행계획을 바탕으로 하여 도전을 한다면 누구나 지금 당장 시작을 할 수가 있다. 그리고 시작을 하고 이 길을 묵묵히 걸어가는 사람에게 반드시 보상은 뒤따르게 되어있다. 영광은 결국 행동하는 자들의 것이다.

나는 이 책을 통해 후천적인 매력을 계발하고 유혹능력을 키워내고자 했던 수만시간의 '삶'을 담아내었다. 분명히 나와 같은 길을 걸어가고자 하는 사람들에게 이 책은 큰 도움이 될것이다.

사실 처음에 이 책은 대한민국의 남성들을 위해 쓰여졌다. 그럼에도 불구하고 유혹자가 되고싶어하는 여성들에게도 이 책은 많은 지식과 지혜를 선사해줄것이라 믿는다. 왜냐하면 이성관계란것은 일방적인 소통이 아니라 쌍방의 소통이기 때문이다. 그렇기 때문에 유혹의 본질과 매력이라는 주제를 이해하면 항상 관계에서 더 좋은 전략을 세울수가 있을것이다.

이 책이 쓰이고 완성이 되기까지는 너무나도 오랜 세월이 걸렸다. 항상 사람들은 나의 책이 언제쯤 출판이 되는지에 대해 묻고는 했다. 나는 항상 그들에게 곧 책이 출판될것이라고 이야기를 했지만 글을 쓰면 쓸수록 더 쓸 내용이 많아져버려서 출판이 계속 미루어지게 되었다. 이 글을 읽고 있다면 드디어 출판이 된것이겠지만 말이다.

나는 책을 위한 출판이 아니라 정말 진실된 완성품으로서의 책을 출판하기를 바랬다. 그렇기 때문에 유혹자 매뉴얼, The Natrual Guide은 계속적인 영감속에서 나의 열정을 담아 계속해서 쓰여져왔고 앞으로도 새롭게 쓰여질 것이 분명하다.

이성관계에 모든 것을 헌신했던 나의 인생, 확고한 이성관계에서의 목표, 순간 순간 최선을 다해온 과정, 매력적인 남성으로서의 성공과 현실, 매력과 유혹의 일관성, 그리고 열정적인 코칭과 교육 등을 통해 나는 내 인생을 써왔고, 그 인생을 글로 옮겨보고자 한다.

'여성에게 말 한마디 못하고 자의식에 가득찬 겁쟁이'에서 '이상형의 여성들의 마음을 얻어내는 매력적인 남성'에 도달하기까지 정말 오랜 시간과 열정적인 행동이 소요되었다. 그것은 절대 쉬운길이 아니었다.

한국이라는 사회와 문화 속에서 무엇이 옳은가에 대한 수많은 고민을 해왔고, 남성과 여성이 모두 함께 웃을 수 있고 윈-윈 할수있는 방식을 추구하기까지 정말 오랜 시간이 걸렸다.

처음에는 멘트와 마술을 공부하면서 이성관계의 성공을 바랬지만 그러한 피상적인 수준에서 벗어나 나 자신의 '자아개념'에 영향을 끼치고 자신의 '정체성'을 온전히 변화시킬수있는 성과를 목표로 노력을 하게 되었다.

외면(외모)은 중요하다. 그리고 그만큼 혹은 그 이상으로 내면(성격, 태도 등)도 중요하다고 믿는다. 과거에 나는 여성들에게 접근을 하여 이러한 질문을 했었다. "남자를 사귈때 외모를 보는편이에요? 아니면 성격을 보는편이에요?"라는 식의 질문이었다. 많은 여성들에게 이러한 질문을 했고 거의 대부분의 답은, "당연히 둘다 보죠."였다. 나는 그것이 바로 정답이라는 생각을 한다.

그럼에도 불구하고 나는 이 책에서 내면을 강조할것이다. 왜냐하면 외모보다도 내면을 가꾸는것이 훨씬 더 어렵고 시간이 걸리기 때문이다. 본질적인 내면이 변화하지 않으면 피상적으로 아무리 화려해진다고 할지라도 장기간동안 성공을 유지하는것도 불가능하다. 나에게 이러한 생각이 깊은 내면에서부터 올라온것처럼 누구에게나 느껴질수있는 부분이라는 생각도 함께 해본다.

물론 내면에 집중하기 이전에 자기 하루 정도의 시간을 잡아 헤어스타일링, 패션스타일링, 신발, 그리고 시계에 투자를 하는것을 추천한다. 더불어 여유가 허락된다면 자신이 구입할수있는 가장 좋은 것으로 구입하는것을 추천하고 싶다. 딱 한셋트만 있으면 된다. 두 개가 없음에 결핍함을 느끼지 마라. 정말 좋은 신발과 시계 한개씩만 구입하고, 맞춤정장 한 벌을 구입하고, 헤어스타일링도 트랜디하거나 개성적인 것으로 연출하면 된다.

돈만 있다면 누구나 5시간 안에 화려한 피상적 변신이 가능하다. 그렇지만 내면이나 성격, 그리고 본질은 아무리 돈이 많다고 할지라도 변화하는데에 오랜 시간이 걸리는 법이다.

더불어 본질적인 내면이 변화하지 않으면 아무리 외면이 화려하다고 해도 내면의 '믿음'에는 변화가 없을 가능성이 크다. 때로는 강한 믿음이 생기는것에 화려한 외면이 방해가 되기도 할 정도이다. '자신감'은 자기 스스로를 믿는 마음일탠데 피상적인것에 의존하는 마음이 가득한 사람들도 수두룩 하기 때문이다. 내면을 가꾼다는것은 곧 자기 자신을 진실로 믿는 힘을 키워내는것이라고도 말하고 싶다.

◎ 자아개념의 변화

나는 내 스스로의 자아개념을 이해하고 바꾸는데에 정말 많은 시간과 노력을 투자하였다. 자아개념이 변화하기 위해서는 크게 세가지가 필요하다. 첫 번째는 증거없이 믿는 마음인 '믿음', 두 번째는 자기가 신뢰할수있을만한 증거인 '신념', 그리고 세 번째는 믿음과 신념에 상응하는 '현실'과 주변의 반응 등이다.

대부분의 사람들은 자신의 '믿음'이나 '신념'에 대한 변화없이 주변의 반응과 현실만을 바꾸려고 하기 때문에 실패를 한다. 내면의 자아개념은 그대로 있으면서 결과만 바뀌기를 바라기 때문이다. 내면에 집중하라는것은 곧 이 세가지를 중점적으로 변화시킬수있도록 노력을 해야한다는 것이다.

근데 자아개념을 변화시키는것은 생각보다 어렵다. 왜냐하면 자아개념이 변화한다는것은 마치 평생 담배를 피고온 사람에게 지금 이 순간부터 금연을 하라고 말하는것과 같기 때문이다. 금연을 해본 사람은 알겠지만 그것이 얼마나 어려운것인가? 그렇다면 우리는 어떻게 자아개념을 바꾸고 금연을 할 수가 있는지에 대해서 현실적으로 생각해볼 필요가 있다.

참으로 다행인것은 처음부터 흡연가인 사람은 없다는것이다. 그것은 모두 학습된것이다. 마찬가지로 대부분의 사람들은 자신만의 고유함과 개성을 갖고 태어나고 '내츄럴'이 아닌 상태에서 태어난 사람은 없다. 다만 많은 사람들이

'찌질함'과 '결핍함'을 살아오면서 배우고 학습해왔을뿐이다. 이 사회가 요구하는 기준에 맞추기 위해서 노력하고 발악하면 할수록 더욱 큰 결핍함이 자신의 내면을 채워졌을것이다. 12개의 신발이 있음에도 불구하고 13번째 신발이 없으면 결핍하고 그것을 사야만 자신이 완성된다는 느낌을 가질수있는 현대인들의 삶은 찌질하고 결핍할수밖에 없다. 이는 참으로 암담한 현실일수밖에 없다. 이 부분에 대해서는 추후에 더욱 자세하게 이야기를 해보도록 하겠다.

많은 사람들이 금연을 바라면서 흡연을 하는것처럼, 많은 사람들이 '매력적인 존재'가 되기를 바라면서도 '찌질하게 행동'하는 경우가 많다. 그것은 곧 자신의 무의식대로, 혹은 정체성대로, 혹은 자아개념대로 행동하게 되기 때문이다. 결국 자신의 본질(자아개념)을 변화시키지 않으면 무의식적인 찌질한 행동이 자신의 삶을 지배하게 될것이다. 그렇다면 우리는 어떻게 자아개념에 영향을 끼치고 그러한 본질을 변화시킬수가 있을까?

우선 금연을 하는 방법에 대해서부터 이야기를 풀어보도록 하겠다. 금연을 하는 가장 쉬운 방법중에 한가지는 바로 담배냄새를 역겹다고 느끼기 시작하는것이다. 이 '인지과정'이 굉장히 중요하고, '반복적인 학습'을 통해서 그것이 나(무의식)에게 진실된 사실로 받아들여져야만 한다. 실제로 담배냄새를 맡는 것이 불쾌하거나 역겹다고 느껴져야하고 그러한 반복적인 인지를 통해 그것이 무의식에 저장이 되어야만 한다. 그리고 담배냄새를 혐오하는 자세와 태도를 견지하면서 자신이 얼마나 담배냄새를 싫어하는지에 대해서 주변 사람들에게 이야기를 하면서 사람이 가진 '일관성의 힘'이 발휘될수있도록 한다. 동시에 담배를 피는 행위를 대체할 수 있고 명확한 목표를 통해 그 반대의 관성을 만들어낼수있는 것이 무엇이 있는지를 살펴보고 나아가야만 한다.

"담배를 피면 안되!" 라고 말을 하면 대부분의 사람들의 무의식에는 담배에 대한 기억만 저장이 된다. 우리의 무의식은 무엇이 좋고 나쁜지를 판단하지 않기 때문에 담배라는 이미지만 기억에 남는것이다. 그것은 곧 다시 흡연을 하게되는 결과로 이어지게 될뿐이다. 그렇기 때문에 담배를 피는것을 대체할수있는 명확한 목표를 가진 결단이 필요하다.

코칭을 할때에 낮은가치를 하면 안되는것을 강조하고 이야기를 하기 시작하면 모든 사람들이 필드(field)에 나가 그 낮은가치의 행동들을 하게 되는 기이한 현상을 목격하게 된다. 예를들어 "애원을 하면 안되!"라고 강조를 하고 세시간동안 그것에 대해 이야기를 하면 모든 수강생들이 필드에 나가서 애원을 하고 있는 식이다. 사람의 무의식은 참으로 무섭다. 그렇기 때문에 명확하게 '낮은가치'가 아닌 '높은가치'를 제시해줘야하고 무엇을 할수있는지에 대해 방향성을 제시해줘야만 한다.

　　사람들은 자신이 의식하고 있는것보다 더 똑똑한 이유는 무의식에 '반복된 학습'은 본인의 의지와 상관없이 기억하고 행하기 때문이다. 그렇기 때문에 사람이 변화하기 어렵기도 하지만 동시에 무의식에 뿌려진 씨앗이 한번 자라나게 되면 변화라는것은 저항하거나 멈추기 어려운것이 되기도 한다.

　　담배를 혐오하는 현실과 믿음, 그리고 신념 없이 금연에 성공하기가 어려운것처럼 '낮은가치'를 혐오하지 않고서는 이성관계에서 장기적인 성공을 하기가 매우 어렵다. 낮은가치를 혐오하지 않으면 우리는 학습된 대로 그것을 행하게 될것이고, 높은가치를 나타내기보다는 낮은가치에 얽메여 결국 '구원자'만을 찾아나서거나 혹은 거지처럼 이성에게 구걸하며 관계를 형성하기 위해 애쓸수밖에 없다.

　　우리는 유혹자가 되야하고, 그것은 우리의 높은 가치를 바탕으로 여성이 우리에게 끌려오도록 만들어내는 현실을 의미한다.

　　대부분의 남성들은 YMC에서 말하는 낮은가치인 '애원', '결핍함', '구걸', '좌절', '빠른 포기', '합리화와 정당화', '자기제한적신념', '무기력함' 등을 혐오하지 않는다. 그것을 혐오하지 않기 때문에 그것을 행하는것에 대한 그 어떠한 자각이나 의식을 갖지 않는다. 그렇기 때문에 반복적으로 낮은가치를 행한다. 그리고 왜 자신이 그렇게밖에 할수없었는지에 대해서 이야기를 하며 자신의 자존심(ego)만을 지키기 위해 애쓴다. 낮은가치가 가져오는 부정적인 결과에 대해서 진지하게 생각하거나 인지해볼 '공간'을 스스로에게 허락하지 않는다. 그러면서도 동시에 왜 자신이 매력적인 사람이 되지 않는지에 대해서 의

문을 품는다. '낮은가치' 혹은 '마이너스 가치'를 혐오하지 않고서는 절대 '높은가치'에 도달할 수가 없다. 매력적이지 않고 찌질한것을 혐오하지 않고서는 절대로 매력적이고 아름다운것에 도달할수 없는 법이다.

물론 종교에서 말하는것처럼 '죄'는 미워하되 '사람'은 미워하지 않는 태도를 가져야만 한다. 자아개념에 저장된 학습내용을 미워하라는것이지, 그것을 저장하는 자기자신의 '존재'를 미워해서는 안된다. 더불어 그러한 존재가 없다면 새롭게 자아개념을 변화시킬수도 없을것이다. 자신을 믿어라. 분명히 높은 가치와 아름다운것들을 자신의 무의식에 새롭게 저장시켜줄것이다.

낮은가치를 혐오하면서 동시에 자기자신을 사랑한다는것은 이런 의미일것이다. 만약에 낮은가치를 혐오하는것이 곧 자기자신을 혐오하게 되는것이라면 그것은 자신의 존재를 제대로 자각하지 못하는것이다. 낮은가치를 무의식에 정확하게 학습해준 자기자신이 없었다면 '높은가치'를 새롭게 학습해줄 자기자신도 없을것이다.

낮은가치가 무의식에 많으면 많을수록 역설적으로 우리의 존재는 학습을 잘하는 존재인것이다. 그러니 실망하지 마라. 당신도 분명히 변화할수있다.

낮은가치를 인지하고 혐오하기 시작하면서 동시에 '목표'를 향해 자신을 쏘아올려야만 한다. 그래야만 우리에게 도움이 되는 새로운 '가치'들이 잠재의식에 가득차게 될것이다. YMC에서 이야기를 하는 과감성, 즉흥성, 즐거움, 확고함, 남성성, 풍족함, 여유를 매일같이 훈련하고 행하며 그것이 가져올 긍정적인 결과를 상상해보아라.

참고 인내하는 고통스러운 수준의 변화를 유지할수있는 사람은 많이 없다. 고통을 받는 부정적인 에너지를 '낮은가치를 혐오'하는데에 쓰고, 높은가치와 함께 '즐거움'을 느낀다면 우리는 굉장히 높은 수준의 활력과 열정속에서 변화를 지속해나갈수가 있게 될것이다.

많은 사람들이 '흡연가'라는 자아개념을 유지한채로 참는식의 금연을 실시하는것처럼, '나는 찌질하다.'라는 자아개념을 유지한채로 '매력적인 척'을 하는 식의 변화는 무의미하다.

내츄럴이 된다는것은 자아개념의 수준에서의 변화이고, '척'이 아닌 '진짜' 가 된다는것을 의미한다.

아마 자기계발이라는 영역이 많은 사람들에게 받아들여지지 않는 이유도 이처럼 변화라는 것은 단순히 '인내'와 '고통'이라는 영역에서 이해가 되기 때 문일것이다. 하지만 분명히 사람은 본질적으로 변화할 수가 있다. 피상적인 수준에서 껍데기만을 바꾸려고 애쓰는 '변화'를 멈춰라. 그러한 변화는 고통이 고 진짜라고 느껴지지도 않는다. 더불어 원래대로 돌아갈수밖에 없다.

이성관계의 내츄럴을 꿈꿔라. 내츄럴이 된다는 것은 자신의 자아개념 자체 를 변화시키는것이다. 이것이 진짜다. 매력적인 사람이 되기 위해 애쓰는 수 준에서는 절대로 기존의 찌질함을 버릴 수가 없다. 루틴이나 마술을 추구하는 사람들은 대부분 스스로 매력적이라는 느낌을 받지 못한다. 오히려 찌질한 자 기 자신을 화려한 마술 뒤에 숨기는 방식일 것이다. 만약에 화려한 마술 뒤에 숨을 필요가 없는 남성이라면 애초에 여자를 유혹하기 위해 마술을 보여줄 필 요가 없을 것이다. 찌질해지지 않기 위해 아무리 애쓰고 노력해봤자 결국 다 시 찌질해져버린 자신을 마주하게 된다면 본질적인 변화가 이루어지지 않고 있는 것이다.

우리의 존재는 비언어를 통해서 항상 (자신이 인식하지도 못하는 사이에) 효과적으로 주변 사람들과 소통을 한다. 낮은가치와 찌질함이 있다면 본인이 그것을 하기 싫어도 모두 여성에게 전달이 된다. 변명만 하는 남성, 애원만 하는 남성, 구걸만 하는 남성, 자기자신에게 합리화와 정당화만 하며 핑계만 생각하는 남성이 되어버린다는 것이다. 이 모든 것은 숨길수가 없고, 생존을 위해 강인한 남성을 만나야만 하는 본능을 가진 여성들은 칼 같은 여성의 육 감을 통해 그 모든 낮은가치를 느끼게 된다.

낮은가치의 남성들은 가차없이 무시당하거나 이용당할뿐이다. 자아개념을 높은가치로 변화시키기 위해서는 진실된 노력과 동시에 시간이 필요하다. 다 만 우리의 존재가 높은가치와 일치된 행동을 할때 매우 즐거운 기분이 들기 때문에 '즐거움'속에서 자아개념의 변화가 발생할수있다고 믿을뿐이다.

많은 사람들이 노력과 시간을 들이기 싫어하기 때문에 쉬운길만을 추구한다. 상대방을 어설프게 속이려고 드는 경우가 참으로 많이 목격되어진다. "나는 사실은 찌질한 남성인데 내가 너한테 이런 멘트와 마술을 보여주면 날 멋지다고 생각하겠지?"라는 굉장히 단순한 사고방식 속에서 행동하게 되는 것이다. 그것은 마치 대부분의 흡연자들이 금연을 하기 위해 인내하며 스스로를 고통속에 몰아넣는것과 다를바가 없어 보인다.

진실된 변화라는 것은 자신 스스로가 자기 자신을 보면서, "나는 합당하다. 나는 충분하다. 나는 매력적이다. 나는 유혹하는 남성이다."라는 확고하고 흔들리지 않는 믿음이 자아개념에 자리 잡을 때에 발생하게 된다. 물론 생각만 해서는 안된다. 실제적인 증거, 현실, 반응, 그리고 흔들리지 않는 믿음이 필요한것이다.

이러한 길을 걸어가기위해서는 반드시 '명확한 목표'를 마음에 그려야한다. 명확한 목표는 항상 확고한 결단을 동반한다. "나는 반드시 매력적인 사람이 될것이다."

본인이 의존하는 외부적인 힘이나 잡기술을 통하지 않고도 충분히 여성들을 유혹할 수 있다는 사실과 현실을 반복적으로 경험을 해야만 자기 자신에 대한 진실된 믿음이 생길 것이고 그것은 곧 내츄럴이 되는 것을 의미한다. (오히려 마술을 통해 여성을 꼬시게 되면 그 증거가 우리를 더욱 결핍하고 찌질하게 만들수도 있다.) 원래는 찌질한데 멘트와 마술 때문에 매력적인 남자가 아니라, 원래 나 그 자체로 매력적인 남자가 되어야만 할것이다.

노력만 해서는 성공할 수가 없다. 올바른 방법으로 노력을 해야만 성공은 찾아오게 되어있다. 동쪽으로 가야하는데 서쪽으로 가면서 목적지에 도달하지 못했다고 투정을 부리는것은 멍청한 생각과 행동이다. 동쪽으로 가야하면 동쪽으로 가야만 한다.

예를들어 영어로 외국사람들과 프리토킹을 하고 싶다면 정말 생각없이 말을 하는 습관을 가져야만한다. 머릿속에서 영어 문장을 만들어내고, 머릿속에서 문장의 문법을 확인한후에 머릿속에서 발음까지 한번 연습하고 말을 하는 것을 진정한 '프리토킹'이라고 할 수는 없다. 분명 익숙하지 않은 순간에는 생각없이 말하게 되면 문법이 틀릴수도 있고, 발음도 이상하게 흘러나올수도 있을것이다. 그럼에도 불구하고 영어를 그냥 생각나는대로 해보는것을 습관화시켜야만 한다. 사람은 반복적으로 하는것을 강화하고 습관화시키는 동물이다. 생각해서 말하기 시작하면 평생 더 많은 생각을 하면서 말해야 하고, 생각없이 말하기 시작하면 생각없이 말하는 법을 학습하게 된다. 더불어 반복하면 반복할수록 점점 더 성장하여 작은 오류는 발생조차도 안하게 될것이다. 여자에게 무슨말을 할지에 대해서 고민을 하는것은 필요할수도 있지만, 실제로 여자와 대화를 할때에 생각을 하지 말라는 이유도 바로 여기에 있다. 더불어 YMC가 이성관계코칭을 하면서도 절대로 멘트를 교육하지 않는 이유도 바로 여기에 있다.

참으로 희안하게 '높은가치'에 도달하게 되면 할말이 많아지고, 동시에 여자도 말을 많이 하기 때문에 말을 할 필요마저 없어지게 된다. 이 현실을 경험하는 사람이 많아졌으면 하는 바람이 매우 크다. 그리고 그러한 바람을 담아 이 책을 완성시켰다. 유혹자 매뉴얼, The Natural Guide를 통해 수만시간 동안 반복된 시행착오를 통해 확인한 방향성과 전략을 빠르게 배우기를 바란다. 우리는 거대한 에베르스트산 앞에 놓여져 그 산의 정상에 도달해보고 싶은 산쟁이와 같다. 산쟁이에게 필요한것은 더 좋은 도구가 아닌 '용기'이고, 더 많은 시간이 아닌 '끈기'이고, 더 많은 돈이 아닌 '야망'인것처럼 우리에게 필요한 가장 소중하고 중요한 자원은 '끈기, 열정, 야망, 집념, 용기, 자신감, 도전정신 등'과 같은 내면의 가치들이다.

"유혹자가 되어라!" 자신안에 감춰진 '가치'를 발휘하여 자신이 상상하고 그리는 최고의 자기자신을 누리며 살아가기를 함께 희망해본다.

■ 제 1장: 저항감(resistance)이라는 '친구'

'매력적인 사람'이 되기위한 첫 걸음은 저항감이라는 새로운 감정상태를 인지하면서부터 시작이 된다고 해도 과언이 아니다. 우리에게는 변화하고 싶은 마음이 분명히 있다. 근데 변화하고 싶은 마음만이 있는것이 아니다. 스스로 자각하고 있지 않을 가능성이 크지만 그 변화하고 싶은 마음에 대한 '저항하는 마음'도 함께 있을것이다.

매력적인 사람이 되고자 한다면 그것은 분명히 본인이 매력적이지 않다는 인지를 하게 되었고, 매력적인 사람이 되고싶은 간절한 마음에서부터 동기부여가 되었을 것이다. 더불어 매력적인 사람이 되었을때에 이득을 볼수있는 장점들에 대해서도 직접적이고 간접적인 경험을 통해 인지하고 있을것이다.

변화를 하고자 했을때에 우리에게 변화하고자 하는 마음과 동일하게 '변화하고 싶지 않은 마음'이 내면에 존재한다는 사실을 이해해야만 한다. 대부분의 사람들은 자신이 너무나도 간절히 변화하고만 싶다고 말을 하지만, 사실 그 대부분의 사람들은 변화하기 싫은 간절한 마음도 함께 갖고 있다. 이것이 바로 '저항하는 마음'이다. 우리와 아주 친밀한 친구라고 할 수가 있다.

첫 번째로 '저항감'이 존재한다는 사실을 스스로 인식해야만 한다. 저항하는 마음이 나타났을때에 그것을 지켜보는것이다. 사람의 의식은 한번에 한가지의 생각만 담아내기 때문에, "하고 싶다." 혹은 "하기 싫다."는 마음중 하나만을 유지하게 된다. 예를들어 너무나도 매력적인 사람이 되고 싶어서 (하고 싶다는 마음) 어프로치를 하다가 계속적으로 거절을 당하고 실패를 경험하게 되면 분명히 "하기 싫다."는 마음이 자신을 지배하게 될 가능성이 매우 크다. 하고싶다는 마음에서부터 시작을 했음에도 불구하고 어느새 그 반대의 마음상태에 들어가있는것이다. 심지어 자신이 그 반대의 마음상태라는 사실을 인지하지도 못하는 경우가 대부분이다. '성공하는 사람'들은 거절과 실패의 순간 속에도 분명하게 "하고 싶다!"는 마음을 유지해내는 사람들이다. 저항감에 지배당하지 않고, 자신이 하고싶어하는 '간절함'만을 생각해내는 사람이라 할 수가 있다.

저항감이 자신안에 존재한다는 사실을 이해해야만 우리는 그 저항감을 통제할 수가 있게 된다. 그리고 그에 따른 실제적인 현실의 성공여부가 결정이 되는 것이다.

경제적으로 예를 들어보자면 누구에게나 돈을 벌고 싶은 마음이 있지만 동시에 돈을 벌기 싫은 마음도 있다는 것이다. 돈을 벌고 싶은 마음에만 집중을 하고 있다면 어떠한 어려움이나 시련이 닥쳐와도 그 마음이 계속해서 유지가 될것이고, 실제적으로 돈을 벌 가능성이 매우 커지게 된다.

사람의 마음은 모든 경우에 '하고싶은 마음'과 동시에 '하기싫은 마음'이 존재를 한다. 아마 이러한 저항감을 과거에 이해했다면 왜 유토피아를 꿈꾸는 공산주의가 역사적으로 시도될때마다 실패했는지를 미리 알수가 있었을것이다. 모든 사람들에게 공평하게 일을 하고 공평하게 댓가를 받고 싶은 마음만 존재하지 않기 때문이다. 사람에게는 더 적게 일하고 더 많은 댓가를 받고 싶은 마음이 함께 존재한다.

'저항감'이라는 감정상태를 제대로 이해하지 못할때에 나타나는 가장 큰 오류는 바로 저항감이라는 감정상태와 자기자신을 동일시하는 태도이다. 저항감을 자기자신과 습관적으로 동일시하는 사람들은 무엇을 시도하든지간에 제대로된 성취를 이루어내지 못하는 경우가 많을수밖에 없다. 왜냐하면 진실로 변화하고자 하는 마음을 먹은 순간에도 분명히 실패나 거절을 당하게 되면 저항하게 될것이고, 내면에서부터 '하기싫은 마음'이 올라오게 될것이다. 그러면 그 감정상태가 자기자신이라 믿고 거기에 순응하게 된다. 아주 빠른 '합리화와 정당화'가 이루어지게 되고 변화하고 싶은 마음에 집중하기보다는 자신의 '하기싫은 마음'이 옳다라는 믿음을 강화하고 그것을 지켜내고 방어하게 된다. 그러면 더 이상 행동하지 않게되고, 사실 그 순간의 어려움을 모면하기위해 '합리화와 정당화'를 한것이라면 나중에 다시 하고 싶은 마음이 생기는순간에는 후회를 하며 시간을 되돌리고 싶어할뿐이다.

나는 어차피 인생에서 정해진것은 없다고 생각을 한다. 더불어 자신이 하고싶은것이나 경험해보고 싶은것을 하는것에는 자유가 있다고 생각을 한다. 하지만 우리는 저항감 때문에 제대로 인생을 살아내지 못한다. 왜냐하면 항상 '저항감'에 시달리며 자신이 해보고 싶었던것을 아주 **빠르게** 포기하기 때문이다. 그래서 나는 근성과 꾸준함 혹은 열정적으로 자신이 하고자하는것에 집중해서 반복적으로 행하는 사람들이 좋다.

사실 저항감이라는 감정상태는 우리의 생존을 보장해주는 안전장치이다. 다만 성장을 하고 싶다면 자신의 본능적인 안전장치를 풀어내고 도전해야만 한다. "과감하게.."

우리가 안전장치를 풀어내고 '저항감'을 완전히 이겨냈을때에, 혹은 자신이 두려워하는것을 행하게 되었을때에 우리는 살아있다는 충만한 느낌을 받게될 것이다. 그 생동감과 현존상태를 더욱 많은 사람들이 느끼고 경험해보기를 바랄뿐이다. 이것은 마치 제 2의 안정장치라고 할 수가 있다. 마치 안전장치를 풀어버리고 **불확실성(죽음)**으로 뛰어든 자신을 보호해주기 위해 '뇌'가 미친 듯한 속도로 회전하는 상태라 할 수가 있다. 이러한 상태는 참으로 신기하기도 하고 기이하기까지 한 상태라 말할 수가 있다. 이 부분에 대해서도 이후에 더욱 자세하게 이야기를 해보도록 하겠다.

이러한 최상의 상태(Peak State)에 도달하게 되면 시간감각이 없어지면서 몰입하게 되고 시간이 **빠르게** 흐르게 된다. 더불어 자신이 한 행동들이 자동적으로 이루어지기 때문에 의식하지 못한 상태에서 말을하고 행동하게 된다. 그 순간에 느꼈던 충만한 감정은 잔상으로 남아있지만 정확하게 무슨 대화가 오고갔는지는 기억나지 않는다.

'저항감'은 곧 '불확실성'을 있는 그대로 마주하는것을 의미하고 현대 사회를 살아가는 사람들은 예측할수없는 이 '불확실성'을 혐오한다. 그러나 우리는 이 '불확실성'을 사랑하고 포용하고 수용하고 저항감은 내려놓아야만 할것이다. 많은 사람들은 두려움과 불확실성을 회피하는 방향성속에서 살아가지만, 우리는 두려움과 불확실성을 마주하는 방향성을 추구해야만 한다. '과감성'이라는 내면의 가치가 우리를 추구하는 방향에 맞게 성공할수있도록 인도해줄것이다. 가장 핵심적인 키워드는 나이키의 조언처럼, **"그냥 행하는 것(Just do it.)"**이다.

저항감을 마주하고 이겨내는것은 '도전정신'이자 '용기'이기도 하다. 여성에게 인기있는 남성들은 이러한 저항감을 쉽게 이겨낼수있는 자들이다. 그들이 과감성을 발휘해내는 순간 순간에 그들은 자신의 '생존력(Survival Value)'을 표현해낸다. 남자라면 불확실성과 두려움을 마주하고 극복할수있는 강인한 힘이 필요하다.

여성에게 접근하여 말을 거는 '어프로치(Approach)'를 할때 남성들은 대부분 **'두려움, 저항감, 불확실성'**을 느낀다. 이때에 우리가 집중해야하는 '초점'은 바로 **'과감성'**이다. 두려움을 생각하면 할수록 더 커지지만 과감성에 집중하면 할수록 행동할수있게 될 것이다.

더불어 "하고싶은 마음"에만 집중하고 그것만 생각해야한다. '저항감'이 발생하여 "하기싫은 마음"이 의식위로 올라오게 되었을때에도 그저 그것을 지켜보던가 아니면 내려놓고 다시 "하고싶은 마음"에 집중해야만 할것이다. 그리고 '행동력'을 발휘하여 '과감하게 행동'하라. 실패하거나 거절당하는것은 통제할수없지만 행동하는것은 스스로 통제할수있는 영역이다. 통제할수없는 영역을 고민하면서 스스로 통제할수있는 영역을 포기하지 마라. 두려움과 불확실성을 압도하라.

'과감성'을 일상속에서 습관화시키는 방법중 한가지는 바로 무엇을 하든지 간에 빠르게 결정하는것이다. 예를들어서 어디를 갈지, 무엇을 먹을지, 무엇을 할지, 어디에 앉을지 등을 빠르게 결정하는 습관을 가져라. 그리고 빠르게 정하고 행동으로 연결시키는것을 습관화시키면 여성과 에프터를 할때에도 큰 도움이 될것이고, 어프로치를 훈련하는 과정에서도 매우 큰 도움이 될것이다. 물론 이러한 '과감성'은 곧 '즉흥성'으로 이어지게 되어있는데 이는 '상황대처능력', '위기극복능력'을 의미한다.

한번에 너무 복잡하고 어려운것을 학습하려고 하면 대부분의 사람들은 어려움을 느낀다. 그렇기 때문에 '과감성'이나 '즉흥성'과 같이 조각처럼 나누어서 교육을 하고 이야기를 하는데 사실 이 모든 것은 하나의 큰 그림으로 이루어져 있다. 이 책에서 앞으로 이야기할 다양한 조각들을 하나씩 훈련을 하고 그 후에 퍼즐조각을 맞추듯이 훈련된 조각들을 자신의 삶에서 응용을 해 나간다면 아주 **빠른시간내**에 학습이 이루어지고 자신의 잠재력을 200% 발휘하게 될것이다.

저항감을 지배하지 않고는 진짜가 되었다고 말하기는 어려울것이다. 사실 이러한 '도전정신'이나 '용기' 혹은 '자신감'은 부족사회에서 맹렬한 야수들을 사냥을 하면서 키워냈어야만 하는 내적인 가치일 것이다. 현대사회에서는 이러한 내적 가치를 키워내지 않아도 충분히 '생존'하는데에 지장이 없기 때문에 남성들이 이러한 가치를 굳이 키워내려고 하지 않는다. 인류의 양식화와 같은 상황속에서 우리는 더 이상 생존적가치를 중요하게 여기지도 않는다.

하지만 수백만년동안 학습된 남성과 여성의 본능에는 변함이 없을것이다. 강인함과 생존력 없이는 매력적인 '남성성'을 키워내기는 어렵다. 여성들은 본능적으로 '낮은가치의 남성'을 무시하게 되어있다. 물론 높은가치라고 해서 모든 여성을 유혹할수는 없을것이고, 포스트모더니즘 시대에서 사람들이 선호하는것도 다들 재각각이지만 (심지어 여성이 여성을 좋아하기도 하고) 우리는 여전히 사람의 본능적인 요소와 내면의 끌림에 호소를 해야만 하고, 그것이 가장 효과적이고 효율적일라는 생각에는 변함이 없다.

더불어 '저항감'은 '수치심'과도 깊은 연관성을 갖는다. 어린시절부터 수치심이나 죄의식을 학습한 사람들은 스스로를 안전지대에 가두어버리는것에 굉장히 익숙한 사람들이다. 그렇기 때문에 불편한 상황에 처하게 되면 최대한 불확실성을 회피하면서 행동을 하기 시작한다. 찌질한 모습이 나타나는것보다도 도전적인 행위를 하는것을 더욱 혐오하게 되고, 실제적인 행동을 하기보다는 '생각'에 잠기는 경향을 많이 나타내게 된다.

이러한 행위가 반복되다보면 저항감이나 수치심을 느낄 때마다 그 상황을 회피하고 도망을 치게 된다. 더불어 자신의 그러한 회피가 합당하고 정당하다는 정신적인 자위 속에 인생을 허비하게 된다. 이러한 회피성과 도망자의 삶으로는 절대로 위대한 유혹자가 될수는 없을것이다.

안전지대에 빠져있는 사람들은 대체적으로 에너지를 낭비하려고 하지 않는다. 사람은 본능적으로 진짜 위기나 위협이 찾아왔을 때에 자신의 에너지를 사용하려고 하기 때문이다. 이 역시 무의식적이고 본능적인 행동이다.

사람이 중력이 없는 우주에서 생활을 하게 되면 자동적으로 뼈의 밀도가 줄어든다. '에너지 보존법칙'이 발생하게 된 것이다. 다시 지구에 돌아오게 되면 뼈의 밀도는 필요에 따라 증가하게 된다.

저항감을 마주하지 못하고 안전지대에 너무 오랜 기간 동안 빠져서 살아가게 되면 현실은 지구인데 마치 우주에서 사는 것처럼 에너지를 보존하다가 결국에는 그 생체 에너지를 잃어버리게 되는 현실 속에 살아가게 된다. 지구에서 살아가는데 마치 중력이 없는 우주에서 살아가는 것처럼 뼈의 밀도가 줄어든다는 것이다. 이러한 삶은 살아있어도 죽은 것과 다를 바가 없다.

에너지를 보존하기만 하다가 써보지도 못하고 죽는다면 너무나도 안타까운 삶이 될 것이다. 저항감에 잠식당해 살아가다 보면 자신도 모르는 사이에 점점 더 내적인 자원들과 가치가 사라지게 된다.

실제로 어프로치를 하기 위해서 다양한 '현장'에 나가보면 너무나 많은 남성들이 에너지를 보존하고 있는 것을 목격하게 된다. 에너지를 써야하는 순간에도 그들은 에너지를 소비하지 않는다. 쉽게 말해서 자기 자신의 목소리가 스스로에게라도 들릴지 의문이 든다. 물론 아예 접근조차 안하는 남성들이 태반인 것은 더욱 충격적인 현실이다.

남자와 여자는 서로 만나야만 한다. 음과 양의 조화로움이 이루어져야만 한다고 믿는다. 그리고 남자가 여자를 만나기위해서는 자신의 내적인 가치와 외적인 가치를 발산하고 표출하고 표현해야만 한다. 그래야 어떤 의미에서 여자는 신뢰속에 좋은 남성을 택하게 될것이다.

남자의 역할은 최고의 상태로 접근(approach)을 하는 것이고, 여성은 자신에게 접근한 남성중에 최고의 남성을 선택하는 것이다.

과거 부족사회에서는 남자는 최대한 많은 여성을 책임지고 만나 번식에 성공해야하는 것이 옳고, 여성은 자신을 책임져줄 최고의 남성을 만나 생존에 성공해야하는 것이 옳은 현실이었다.

남자와 여자의 몸은 다르다. (다른 것과 차별에는 차이가 있다. 다른 것을 제대로 받아들이지 못한다면 그것이 오히려 더 큰 역차별이 되어 사회적인 문제로 발생하게 될 것이다.)

여성은 임신을 하게 되면 10개월 동안 아이를 품고 있어야 한다. 더불어 임신을 한 상태에서는 자신을 임신시킨 외의 남성으로부터 보호를 받기 어려운 상태가 되어버린다. 그것은 아이를 출산하고 나서도 마찬가지이다. 과거 부족사회에서는 아이를 임신하고 출산을 한 후에 남자가 생존을 책임져주지 않으면 그 여자와 아이는 모두 죽음을 당할 수밖에 없는 처지에 있었다.

물론 현대사회에서는 많은 것이 변했다. 그럼에도 불구하고 여전히 여성들은 자신을 책임질 수 없는 수준의 낮은 '생존적 가치(survival value)'를 지닌 남성을 선택하지 않는다.

남성은 자신의 모든 것을 걸고 여성에게 접근을 해야 한다. 나는 이것을 '정의로운 행위'라 믿는다. 그리고 그렇게 접근을 하기 위해서는 안전지대를 벗어나는 '과감성'과 '모험심'이 필수적이다. 그리고 우리는 모든 것을 걸어야한다.

이러한 '모험'은 저항감을 정면으로 맞서는 기분일 것이다. 과감하게 번지점프를 하고, 목욕탕의 냉탕에 한 번에 들어가고, 놀이공원의 롤러코스터를 모험을 하듯이 즐기면서 할 때에 우리는 저항감을 지배할 수 있다.

여성에게 접근하여 대화를 하는 것도 하나의 모험이라 생각한다. 결과를 알 수 없고 결과가 정해지지 않은 불확실성한 모험인 것이다.

더불어 불확실하기 때문에 우리는 그 안에서 즐거움과 재미를 느낄 수가 있다.

모험을 통해서 우리가 얻을 수 있는 즐거움과 재미를 안다면 정말 신나는 인생을 즐기면서 살아갈 수가 있다.

여성에게 인기가 있는 내츄럴(natural)들에게는 공통적으로 순간순간에 다가오는 공포, 두려움, 불확실성, 저항감 등을 이겨낼 수 있는 강인한 정신력이 있다. 이러한 정신력을 키워내고 준비된 남성이 된다면 누구나 내츄럴이 될수 있다고 믿는다.

"용기있는 자가 미인을 얻는다."

에너지를 사용하면 사용할수록 더욱 많은 에너지가 분비되는 것을 느낄 것이다. 불확실성에 계속해서 도전을 하다보면 어느 순간에 우리의 무의식이, "지금이 바로 생존을 위해 에너지가 필요한 순간이다!"라고 느끼게 되고 그동안 잠재워두었던 모든 내적인 가치와 자원을 폭발시켜준다.

이러한 상태를 '슈퍼의식'이 발휘된 상태라고도 부르는데 모든 것이 자동적으로 이루어지는 것처럼 느껴지게 될 것이다. 본인이 정확하게 무슨 말과 행동을 했는지 기억은 하지 못하지만 엄청난 재미와 즐거움을 느끼면서 그 감정 상태만큼은 죽을 때까지 잊지 못할 추억으로서 간직하게 될지도 모른다.

저항감과 두려움을 지배하는 용기 있는 남성이 되길 바란다. 그 용기 있는 도전 속에서 자신이 될 수 있는 최고의 남성적인 모습이 나타나게 될 것이다.

■ 제 2장: 내츄럴(natural)들에게 있어서 '접근(approach)'은 즐거움이다.

저항감을 지배하는 느낌은 굉장히 좋은 기분이다. 내면적으로 자신이 점점 더 강해지는 것을 느끼게 될 것이다. 물론 '결과'도 중요하다. 접근을 해서 어떤 결과를 내었는지도 중요하다. 하지만, 그 무엇보다도 중요한 것은 그 '과정'속에서 자신이 얼마나 저항감과 두려움을 마주하고 지배하느냐이다. 결과가 나오지 않는다고 할지라도 이미 그 과정 속에서 저항감과 두려움을 지배하고 있고 '회피성'이나 '수치심'에 빠지지 않았다면 굉장히 기분 좋은 느낌을 받게 될 것이다.

"자기 자신을 통제하고 있다고 느끼면 우리의 자존감이 높아진다."

한번 결과가 나오기 시작하면 그 다음부터는 동일한 결과를 더욱 쉽게 만들어 낼 수가 있다. 처음 한번이 굉장히 어려운 것이다. 더불어 언제 결과가 나올지는 그 누구도 알지 못한다. 그렇기 때문에 자신을 통제하고, 불확실성을 마주하고, 두려움을 지배하는 과정을 즐겨라. 그 즐기는 과정 속에서 우리는 지금 이 순간 '자존감'을 회복하게 될 것이고, 더 큰 기쁨과 행복을 느끼게 될 것이다.

그렇게 과정 속에서 즐거움을 느끼게 되면 머지않아 내면의 풍족함을 느끼게 될 것이다. NLP 에서는 이를 Peak State 라고 부른다. Peak State 는 내적인 자원이 충만한 상태를 말한다. 그리고 그 자원을 모두 사용가능하게 된다.

내적으로 충만한 상태에서 행동을 하면 결과를 떠나서 인생 최고의 하루를 느끼게 될 것이다. 그리고 그러한 즐거움과 재미에 상응하는 피상적인 결과도 맛보게 될 것이 너무나도 확실하다.

이것은 나에게 있어서 너무나도 큰 인생의 진리이다. '정신력'은 키워낼 수가 있다. 당연히 강인한 정신력은 여성들에게 높은 가치이다. 높은 가치라는 것은 곧 매력적인 남성이라는 것이다.

더불어 강한 정신력을 소유하고 있을수록 여자들의 반응에 쉽게 영향을 받지 않게 된다. 여성들의 부정적인 반응도 개인적인 것으로 받아들이지 않는 멘탈을 소유하게 된다는 것이다. "Don't take it personally." 라는 조언은 누구나 알고 있지만 실제로 그렇게 할 수 있는 정신력을 가진 사람은 흔하지 않다.

더불어 기본 좋은 느낌과 감정 상태를 지속시키고 더욱 강화시키는 것은 각 개인의 경험과 정신력에 따라 차이를 보이게 된다.

우리가 행해야하는 것은 감정을 억누르는 것이 아니라 감정을 표현하고 표출하는 것이다. 그리고 우리의 감정 상태의 관성을 키우고 증폭시킬 수 있는 능력이 필수적이다.

"여성에게 접근(approach)을 하는 것은 모험의 시작이며, 감정적인 자극이고, 즐거움과 재미이며, 그러한 감정 상태의 증폭이다."

'저항감'을 이겨내고 여성에게 접근(approach)을 할 때에 우리는 마치 번지점프를 뛰어내리는 듯 한 큰 쾌감을 맛보게 될 것이다.

'어프로치'를 하나의 모험으로 생각해라. 모험을 즐겨라. 그 안에서 주도적인 재미와 즐거움을 느낄 수가 있게 될 것이다. 모험은 그 끝이 드러날 때까지 그 누구도 미래를 알 수 없는 법이다. 더불어 모험의 끝을 정하는 것은 본인이다. 그렇기 때문에 피상적인 결과를 낼 때까지 멈추지 않는다면 '과정'에서의 실패는 있을 수가 없는 것이다. 좌절할 필요도 조급할 필요도 없다. 다만 최선을 다해서 '성공할 것'처럼 행동하라. 이미 승리가 보장되어진 승자처럼 행동하라.

사람에게는 미러신경(mirror neuron)이라는 것이 있다. '나의 모험'을 진실로 즐길 때에 주변 사람들에게 영향력을 갖게 될 것이다. 나의 모험 속으로 여성들을 초대하라. 나의 강한 현실에 여자들을 끌어당겨라. 여자들이 동참하고 싶은 감정 상태를 가진 사람이 되어라.

감정은 전염성을 갖고 있기 때문에 내가 진실로 나만의 모험을 즐기고 있다면 그 즐거움은 내 주변 모든 사람들에게 전달이 될 것이다.

불안함과 불편함, 회피성, 수줍음, 혹은 긴장감속에서 여성에게 접근하기보다는 '편안함, 안정감, 그리고 즐거움'과 같은 긍정적인 감정 상태 속에서 접근하라.

꼭 여자가 아니더라도 자기 자신의 '경험'을 위해서 우리는 긍정적인 감정 상태 속에서 여성에게 접근을 해야 하는 '의무와 책임'이 존재한다.

내가 '느끼는 감정 상태'가 곧 나의 '경험'이 된다는 사실을 기억하라. 과정이 좋으면 결과도 당연히 좋게 나타날 수밖에 없다. "잘하면 잘하는 것이고, 잘하면 인정받게 될 것이다."

다만 생각으로 애쓰지 마라. 생각으로 애써봤자 현실은 변하지 않는다. 실제 행동을 변화시켜야만 우리의 감정 상태와 현실이 따라서 변화하게 된다.

내 감정상태가 편안하지 않은데 억지로 "나는 편안하다."라고 생각으로 애쓰는 상태에 빠지지 말라는 것이다. 대신에 펜과 종이를 꺼내서 편안할 때에만 할 수 있는 행동 20가지를 적어봐라. 그리고 그 20가지 중에 한 가지를 즉시 실천하라.

더불어 기존의 감정 상태에 대한 집착과 고집을 내려놓는 훈련을 해야만 할 것이다. 화가 나거나 짜증난 상태에서는 절대로 기분이 좋아질 수가 없다. 용서하고 사랑하는 과정을 통해서 우리는 자신의 감정 상태를 통제하고 더욱 깊은 마음의 평화를 유지 해낼 수가 있다.

에크하르트 톨레의 '지금 이 순간을 살아라.'를 읽으면서 자신의 마음을 통제하고 '현존하는 법'에 대한 지혜를 깨우치길 바란다.

만약에 한 남성이 진실로 기분이 좋은 상태라고 상상해보자. 그러면 그러한 감정 상태는 비언어적으로 표출이 되고 그 주변 사람들은 그러한 감정 상태에 영향을 받게 된다. 감정은 전염성을 갖고 있기 때문이다. 이 남성은 영향을 받으려고 하기보다는 영향을 먼저 주는 사람이다. 이러한 사람이 Value

Taker 가 아닌 Value Giver 라 할 수 있다. 기분이 좋은 순간에 남성이 Value Giver 로서 자신의 영향력을 발산하면서 사람들과 소통을 하기 시작한다면 이 남성이 가진 긍정적이고 기분 좋은 감정 상태는 한 공간에 퍼져나가게 될 것이다. 이를 바이빙(Vibing)이라 한다. 더불어 여성들은 이 남성이 접근하기 이전에 이미 기분 좋은 감정을 느껴버릴 것이다. 당연히 그러한 장면을 목격하는 주변 여성들도 이 남성에게 강한 매력과 끌림을 느끼게 된다.

"이러한 접근법이 내츄럴(natural)들이 추구하는 기본기라 할 수 있다."

모든 남성들에게 내재되어있는 '본질적인 에너지와 감정'을 통제하고 활용하며 영향을 끼치는 것만으로도 우리는 내면에 잠들어있는 남성적인 힘을 깨워낼 수가 있다.

언제 어디서든지 애쓰지 않고 이러한 기분 좋은 바이빙(vibing)을 할 수만 있다면 '사교장소'에서 항상 주목받는 남성이 될 수가 있다. 우리가 고민해야 하는 것은 '생각으로 애쓰는 행위'에서 벗어나 그 무엇보다도 자신의 감정 상태에 영향을 끼치고 통제하는 법을 깨우치는 것이다.

많은 남성들이 매력적인 사람이 되기 위해 노력하는 본질을 살펴보면 안타까울 때가 많다.

왜냐하면 너무나 많은 남성들이 자신의 외부에서부터 정체성을 구하거나, 가면(persona)을 쓰고 척을 하는 수준에서 머물거나, 여성에게 사기를 치려고 하거나, 생각으로 애쓰고 실제적으로는 아무런 행동도 하지 않는 경우를 너무나도 많이 목격하게 되기 때문이다.

'연습'과 '훈련'을 통해서 새로운 습관을 키우고 자기 자신에 대한 '믿음'과 '증거' 그리고 '현실'을 만들어간다면 누구나 본질적인 변화가 가능하다. 먼저 내 자신이 내 스스로가 매력적이라고 믿지 않으면 절대 매력적인 정체성에 도달할 수가 없다. 그리고 내가 날 믿지 않으면 그 누구도 날 믿어주지 않을 것이다.

우리는 어떻게 하면 스스로를 진실로 믿을 수 있을지 그리고 어떻게 하면 그 믿음에 대한 증거들과 현실들을 만들어 낼 수 있을지를 고민해 봐야한다.

'믿음, 증거, 현실, 현실에 대한 신념'이 새로운 차원의 자아개념으로 자리 잡게 되면 우리는 스스로가 깊은 정체성수준의 변화에 도달했다고 말할 수가 있게 될 것이다. 그러한 현실 속에서는 아름다운 여성 앞에서 그저 매력적인 모습의 자기 자신이 되면 된다.

이러한 현실 속에 살아간다고 해도 모든 여성을 유혹할 수 있는 것은 아니다. 이것이 현실이다. 하지만, 자기확신과 자기신뢰속에서 여성을 유혹하고 '성공'하고 그 성공적인 이성관계를 누리는 것만큼 '행복'한 것은 없다고 믿는다.

만약에 여자를 내가 아닌 나 자신으로 유혹해서 성공한다고 할지라도 그 현실이 행복하기는 어렵기 때문이다. 여자가 진짜 내 자신이 아닌 '꾸며진 자아'를 좋아하는 것만큼 더러운 기분은 없다. 여자를 속이고 있는 기분이 들것이다.

"여자를 유혹하는 것에 성공하든지 실패하든지 '당신 자신'으로 해라."

내 자신이 스스로 합당하고, 충분하고, 매력적이라고 느껴져야 하고 이러한 느낌 속에서 여성을 유혹해야한다. 척이 아닌 진짜가 되야만 한다. "진짜 내 자신이 되면 찌질해질 것 이라는 생각은 사실 자기 자신에 대한 솔직한 고백이다."

이제는 진짜 내 자신이 되면 여자가 날 좋아할 것이라는 생각을 가질 수 있는 방향성으로 나아가야만 한다. 이러한 현실은 가능하다.

우리가 살아가는 시대는, "여자가 여자를 유혹하며 살아가는 시대이다." 나는 이러한 현실을 실제로 바라보며 깊은 깨달음을 얻게 되었다.

내가 여성을 유혹하는 것에 나의 삶을 걸고 살아가던 중 레즈비언인 여성을 유혹하게 되면서 엄청난 패러다임의 쉬프트를 경험하게 되었다.

"여자는 남자를 좋아한다."라는 현실을 경험한 이후부터는 그냥 남자이기 때문에도 합당하고, 충분하고, 매력적일수있다는 사실을 깨닫게 되었다.

☞ 위의 현실이 내츄럴(natural)이 되는 데에 있어서 가장 중요한 '믿음(faith)'이다. 우리에게는 이 부분에 대해서 종교적인 수준의 믿음이 필요하다. 그냥 믿어라. 무조건적으로 믿고, 자신의 이러한 믿음에 대한 증거만을 찾아라.

#1. "여자는 남자를 좋아한다."
#2. "여자는 남자를 좋아하고, 남자를 만나야만 한다."
#3. "여자가 나를 만나지 않으면 무조건 다른 남자를 만날 것이다."
#4. "여자가 만나는 다른 남자(혹은 여자)는 특별히 나보다 엄청나게 잘난 것은 아니다. 다 비슷한 사람이다."
#5. "여자가 나를 남자로서 만나도 된다. 안될 이유는 없다."

이제는 자기 자신에게 도움이 되는 믿음을 키워라. 믿음이나 (사회적인) 종교가 없는 사람은 없다. 누구나 믿는 것이 있다. 위에서 언급된 '믿음'을 갖고 있지 않다면 아마도, "나는 여자들에게 합당하지 않고, 충분하지 않고, 매력적이지 않다."라는 막연한 믿음과 그 믿음을 바탕으로 조작된 증거들만을 갖고 살아갈 뿐이다.

잘못된 믿음 속에서는 여자를 유혹한다고 할지라도, "내가 아닌 나를, 만들어진 나를, 사기꾼인 나를, 흉내 내는 나를, 가면을 쓴 나를 통해서만 여자를 유혹하게 될 것이다. 왜냐하면 진실된 나 자신은 합당하지 않고, 충분하지 않고, 매력적이지 않기 때문이다."

내면의 믿음, 자아개념, 정체성, 본질 등을 변화시키지 않는다면 아무리 해봤자 모든 것이 헛되고 피상적인 껍데기 수준에 지나지 않는다.

우리가 사는 이 세상에 알려진 다양한 '자연의 법칙(the law of nature)'들은 아무리 피상적인 껍데기가 바뀐다고 할지라도 본질이나 내면이 바뀌지 않으면 소용이 없다고 이야기를 한다.

즉, 아무리 여자를 유혹하는 '멘트'를 많이 외우고 있다고 할지라도 그 '멘트'의 근원이 외부가 될 때에는 결국 언젠가는 할 말이 떨어질 수밖에 없다.

하지만, 자신의 내면인, '개성, 창의력, 즉흥성, 경험, 지혜 등'으로부터 여자에게 유혹적이고 매력적인 말들을 스스로 '창조'해낼 수 있는 '능력'을 키워낸다면 여기에는 무한한 가능성이 잠재되어있다.

누구나 자기 자신만의 개성을 키워낼 수 있고, 사고력과 창의력도 얼마든지 커질 수가 있다. 훈련을 통해 즉흥성, 상황대처능력, 위기극복능력, 임기응변능력 등을 키워낼 수 가 있음은 물론이고, 행동과 경험 그리고 인생을 통해 자기 자신만의 지혜를 키워낼 수가 있다.

여성에게 인기가 있고, 매력적인 남성인 '내츄럴(natural)'이 된다는 것은 모두에게 허락되어진 것이다. 자신이 가고자 하는 방향성을 분명히 하고, 굳은 결심을 하기만 한다면 누구든지 자신이 원하는 삶을 설계한대로 살아갈 수가 있다.

상식적으로 이루어낼 수 있는 라이프스타일(lifestyle)의 수준을 설계하고, 스스로 해낼 수 있다고 믿는다면 불가능한 것보다는 가능하고 누리며 살아갈 것이 훨씬 더 많다고 생각한다.

예를 들어 나는 내 삶속에서 '람보르기니'를 탈것이라는 상상은 하지 않고 그런 믿음을 가지려고 하지도 않는다. 하지만, 내 삶속에서 언젠가는 '벤츠 S 클래스' 정도는 탈 수 있을 것이라 상상하고 그 정도의 수준은 충분히 믿어낼 수가 있다.

물론 사람들마다 '상식적으로' 사고하고 생각하고 믿을 수 있는 수준은 다르지만 이러한 사고와 믿음도 충분히 키워낼 수가 있다고 믿는다. 즉, 미래에 내가 '람보르기니'를 타게 될 것이라고 상상하고 믿게 된다고 할지라도 그것은 크게 놀랄 일은 아니라는 것이다.

더불어 누구에게나 시작점은 존재한다. 자동차를 한 번도 구입 한 적도 없으면서 처음부터 '람보르기니'를 구입 할 것이라는 상상과 믿음을 가지려고 아무리 애쓴다고 할지라도 머릿속으로 그러한 그림을 그려내는 것은 굉장히 어려울 것이다. 억지로 믿으려고 해도 이미 그것이 불가능하다고 믿어버릴 것이다. 그렇기 때문에 처음에는 값싼 자동차에서부터 시작을 해야만 한다.

자동차를 예로 들어봤지만 이는 삶의 모든 목표와 방향성에 적용되어진다. 자신의 라이프스타일(lifestyle)은 모든면에서 시작점이 존재함을 기억하라. 모태솔로인 남성이 2017 미스코리아 진을 만난다는 상상과 억지 믿음은 불가능하다는 믿음만 키워낼 뿐이다. 모태솔로들은 우선 여자 친구를 만드는 것 이전에 여자랑 대화를 자연스럽게 나누는 수준부터 상상하고 믿어야만할 것이다.

목표는 진화를 한다. 사람은 항상 더 좋은 것을 원하게 되어있다. 모태솔로가 나를 찾아와, "제발 여자 친구를 한번만 사귈 수 있다면 좋겠다."라는 소원은 그 목표를 이루는 순간 진화한다.

사람은 무엇인가를 성취할 때에 비로소 자신이 얼마나 대단한 사람인지를 느끼게 되고, 자신의 잠재력을 시험하고자 한다. YMC 에서는 이성관계의 모든 시작점을 '어프로치'로 보고 있다. '어프로치(approach)'는 '헌팅, 픽업, 작업 등'의 가장 원초적인 언어와 같다. 어프로치는 여성에게 접근을 하는 모든 행위를 일컫는다.

시작을 하는 사람이나 더 높은 차원의 목표를 추구하는 사람이나, 혹은 나처럼 11년 동안 이성관계에 미쳐있는 사람이나 여자를 만나기 위해서는 반드시 어프로치를 잘해야만 한다. 어프로치는 모든 이성관계의 시작점이라고 할 수가 있다. 여성에게 자연스럽게 접근을 하여 대화를 할 수 있는 남성은 매우 좋은 시작점을 갖고 출발을 하게 될 것이다.

어프로치를 하고 여성과 소통을 하고 교감을 하는 법을 배움으로 우리는 빠르게 정신적인 친밀감을 높이는 법을 이해하게 될 것이다.

더불어 PUA 미스테리의 조언처럼 Kino Escalation을 통해 '육체적인 친밀감'을 함께 키워낸다면 '남자 대 여자 프레임'을 쉽게 유지해 낼 수가 있을 것이다.

에너지레벨의 통제를 통한 집단 내 역동성(Group Dynamics)을 쉽게 키워 내고, '야망, 열정, 감동, 재미, 즐거움, 편안함, 안정감 등'과 같은 높은 가치의 감정을 전염시킴으로서 타인에게 영향력을 행사할 수가 있다면 더욱 많은 사람들이 함께하고 싶은 남성으로서 성장해 나갈 수가 있다.

결국 이성관계에서 가장 필요한 무형적인 가치는 '나'라는 남성의 '존재감'과 타인을 중독 시키는 '영향력'일 것이다.

이 두 가지를 지닌 사람들은 쉽게 다른 사람들이 자신을 믿게 만들고, 다른 사람들의 감정상태를 쉽게 변화시킨다. (혹은 어떻게 해서든지 변화시킨다.)

그들은 이성적이고 논리적인 설득보다는 감정적으로 다른 사람들의 감정 상태를 변화시켜버린다.

당연히 사회적인 상황에서 이러한 '존재감'과 '영향력'이라는 두 가지 무기를 가진 이들은 높은 가치이며, 동시에 알파메일이자, or 리더(leader)라 할 수 있을 것이다.

"매력적인 사람이 되려면 실제로 그런 '존재(self)'가 되어야만 한다." 어쩌면 지금까지의 글을 통해서도 방향성과 목표에 대한 충분한 아이디어를 얻게 되었는지도 모르겠다. 이제 본격적으로 여성에게 매력적이고 인기가 있을 수 밖에 없는 내츄럴(natural)의 비밀에 대해서 파헤쳐보도록 하겠다.

■ 제 3장: 여성에게 인기가 많은 남성, 'The Natural'

많은 사람들은 인기가 많은 남성을 현실을 이해하지 못한다. 그렇기 때문에 그러한 현실을 살아가기 위한 '믿음'이나 '현실'을 이해하지 못하는 경우가 대부분이다.

사람은 본래 자신이 속한 패러다임과 믿는 믿음 그리고 속한 현실 속에서 해답을 찾는다. 그러니 사람이 변하지 않고 계속해서 같은 현실만 반복되는 것은 너무나도 당연한 것이다.

만약에 자신의 생각의 넓이나 깊이를 키워내지 못한다면 결국 같은 질문, 같은 믿음, 같은 행동만 반복하고 결국에는 같은 결과와 현실속에 안주하는 삶을 살 수밖에 없다.

그 무엇보다도 중요한 것은 자기 자신에게 올바른 방향성을 가진 질문을 묻는 것이다. 그리고 그러한 질문을 바탕으로 우리는 올바른 길을 찾을수가 있을 것이다.

이성관계에서 실패적인 남성들은 '내츄럴'들이 이해하지 못하는 차원에서의 질문을 던진다.

그리고 이 질문이 그들을 현 상태에서 머무르게 하는 '원인'과 '결과'라는 사실을 이해하지 못한다. (이 글을 읽고서 깨우친다면 패러다임 쉬프트와 함께 터닝포인트를 마주할 기회를 얻게된 것이다.)

더불어 '이상한 질문'인 것은 전혀 생각하지 않고, 내츄럴들의 성의없는 대답에 찌질한 현실에 처한 남성들은 내츄럴들이 '이상한 대답'을 하고 있다고만 생각을 한다.

대부분의 찌질남(AFC: average frustrated chumps)들은 이러한 질문을 반복해서 던진다.

"뭐라고 말해요?"
"오프너는 무엇인가요?"

"스크립트나 루틴을 알려주세요."

"여자한테 밥 얻어먹으려면 어떻게 해야해요?"

"여자랑 MT 가려면 어떻게 해요?"

이러한 질문을 영어로 비유해보자면 '외국인'에게 접근해서 그 순간에 할 수 있는 '하나의 문장'을 물어보는 것과 같다. 영어를 못하는 사람이 원어민 수준으로 영어를 잘하는 사람에게, "저 외국 사람이랑 친해지려면 뭐라고 말해야 되요?"라고 물어본다면 어떻게 대답을 해줘야할까? 외국 사람이랑 친해지고 싶은데 영어를 못하는 사람을 도와주기위해서는 '본질적으로' 어떻게 해주는 것이 최선인가?

너무나도 많은 사람들이 '이상한 질문'을 던진다. 근데 자신이 던지고 있는 질문들이 '이상하다.'라는 인식 자체가 없는 경우가 많다.

"여자에게 밥을 얻어먹는 것이 보장된 루틴이나 멘트 따위는 절대로 없다." 여자에게 무슨 말을 할지에 대해 고민하기 시작하면 단언컨대 매번 여자를 대할 때마다 무슨 말을 할지에 대해 고민하게 될 것이다.

사람은 습관의 동물이다. 자신이 반복적으로 하는 '생각'과 '행동'에는 '습관'이 존재하고, '습관'은 계속해서 강화되어진다. 만약에 여자에게 무슨 말을 할지 생각을 한다면 그 행동은 무조건적으로 강화될 것이다. 20년이 지나서 갑자기 무슨 말을 할지에 대해서 고민을 하지 않아도 되는 것이 아니라, 더욱 집요하고 집착스럽게 무슨 말을 할지에 대해서 고민을 하는 것이 습관이 될 것이라는 이야기이다.

여자에게 무슨 말을 하지 않고도 말을 잘하는 것을 반복적으로 행동해야만 그 행동이 강화가 되고 시간이 지나면 지날수록 여자에게 무슨 말을 할지에 대해서 생각하지 않아도 자연스럽게 대화를 잘 할 수 있는 능력을 갖게 될 것이라는 것이다.

◎ 더불어 과학적으로 의사소통(communication)의 93%가 비언어적인 것이

다. 이중에 약 50%는 목소리의 크기와 톤에 달려있고, 43%는 표정, 몸짓 그리고 자세 등에 달려있다. 나머지 7%만이 언어적인 내용이다. 근데 대부분의 사람들이 의사소통을 하는 것을 보면 눈빛, 자세, 목소리, 감정상태, 역동성 등은 신경도 안 쓰면서 무슨 말을 할지에 대해서만 고민을 한다는 것이다.

무슨 말을 해야 할지에 대해서 고민하는 사람이 남자다운 시원한 목소리 크기를 내는 경우를 거의 본적이 없다. 그들의 핑계는 항상 할 말이 없다는 것인데 실제로 YMC 회원들이 93%인 비언어에만 신경을 쓰면서 여자에게 접근해서 과일 이름만 말해보는 훈련을 한 적이 있는데 여자들로부터 좋은 호응과 반응을 얻은 적이 있다.

여자에게 접근을 하여, "토마토, 사과, 수박, 당근, etc.."과 같은 단어만을 나열하는 것이다. 물론 이러한 단어를 나열할 때에 굉장히 확고한 자세와 확신에 찬 목소리 톤과 느낌 그리고 안정적인 눈빛과 열린 자세를 갖고 행동하였다. 여자들은 빠르게 적응하여 함께 과일 이름을 대거나, or 격정적으로 웃는 등의 반응을 보였다.

◎ 더불어 '침묵'과 '공간' 없이는 절대로 좋은 소통이 이루어질 수 없음을 이해해야만 한다. 공간을 무조건적으로 채워 넣는다고 해서 좋은 소통이 아니다. 에크하르트 톨레는 이러한 현실에 대해서 '방'안에 아무리 좋은 가구가 가득 채워져 있다고 할지라도 움직일 공간이 없다면 그 '방'은 아무런 효용성을 갖지 못할 것이다. 이와 마찬가지로 아무리 말을 많이 한다고 할지라도 '경청'이나 '공간' 그리고 '침묵' 없이는 좋은 소통이 이루어질 수는 없는 법이다.

◎ 진실로 매력적인 남성은 절대로 "무슨 말을 하지?"라는 고민을 하지 않는다. 왜냐하면 이러한 생각은 여성에게 할 자신의 말이 별로라는 믿음에서부터 발생하기 때문이다. 그리고 그러한 부정적인 믿음으로부터 걱정, 불안, 두려움과 같은 낮은 가치의 감정들이 몰려오게 될 것이다.

매력적인 남성이라면 여자를 대함에 있어서 두려움이나 공포심을 느끼지 않을 것이다. 설상가상으로 그러한 두려움을 느낀다고 할지라도 모험심과 과 감성을 발휘하여 그 두려움을 제압해냄으로서 여성에게 더 높은 가치의 감정 상태를 표출하게 된다.

결국 무슨 말을 할지에 대해서 고민을 하고 있는 사람들은 그 순간에 당당 하지 못한 것이고 '즉흥성', or '용기', or '자기신뢰', or '자기확신'을 발휘하지 못하는 것이다. 매력적인 남성이라면 어떻게 행동할지에 대해서 고민을 해보 는 것이 최소한 '무슨 말을 할지에 대해서 고민을 하는 것보다는' 더 효과적 일 것이다.

◎ 아무리 생각해봐도 아름다운 여성 앞에만 서면 쫄아있는 남성, 걱정이 많 은 남성, 그리고 불안에 빠져있는 남성의 모습은 찌질할 수밖에 없다. 무슨 말을 할지에 대해서 생각하는 대부분의 남성들은 자신에게 허락된 이성관계의 기회를 놓칠 수밖에 없다. 생각이 너무 많아서 '행동'을 해야 하는 순간에 생 각에 잠겨있기 때문이다.

◎ 더불어 아무리 좋은 멘트를 배운다고 할지라도 실패할 수밖에 없다. 내면 의 일관성을 포기하면서 다른 사람들에게 '존재감'과 '영향력'을 발휘할 수 있 는 법은 없다. 단언컨대 매력적인 남성이 되는 것에는 지름길이 없다. 그렇기 때문에 본질적인 변화를 추구하는 게 가장 빠른길일 수밖에 없다.

RSD 타일러 더든, "Being, not doing." 10년 전부터 내츄럴(natural)을 함 께 연구하고 추구해온 RSD의 타일러 더든은 '자연의 법칙' 중 하나인 '상응의 법칙'을 "Being, not doing." 으로 표현하였다. 그는 이를, "Self is always coming through." 라는 표현을 쓰기도 하였는데 이는 자신의 존재는 항상 나 타난다는 것이다.

결국 비언어적인 소통을 통해서 자기자신이 어떤 사람인지에 대해서 계속 해서 나타낸다는 것이다. 이에 대해서 자기신뢰의 저자인 랄프 왈도 에머슨은, "당신의 인격의 목소리가 너무 커서 당신이 하는 이야기를 들을수가 없다." 라는 표현을 하였다.

뉴욕타임즈에서 선정한 세계에서 가장 영향력 있는 인물 TOP10 에 뽑힌 브라이언 트레이시와 앤서니 로빈슨은 둘 다 짐 론 이라는 인물의 제자이다.

'짐 론'은 결국 클레멘스톤과 나폴레옹 힐의 제자인데 YMC Lifstyle 에서는 이들의 사상과 철학에 큰 영향을 받고 그 기반을 다지게 되었다.

짐 론은 항상 "얼마나 많이 갖고있는지보다는 얼마나 많이 벌 수 있는 능력을 가진 것이 중요하다." 라고 말을 했다.

"It's not about what you have, but what you have become." 내츄럴을 이해하는 데에 있어서 그 무엇보다도 이 "Being, not doing."의 개념을 이해하는 것이 좋다.

무엇인가를 하려고 애쓰는 사람이 아니라, 진짜 그것이 당연한 수준에 도달해야한다는 것이다. 나의 존재 자체가 매력적 이여야 하는 것이지, 매력적인 행동을 하는 수준에 머물러서는 안 될 것이다.

자신이 200% 매력적인 남성이 되었다고 상상해보자. 만약에 정말 모든 면에서 완벽한 남성이 되었다면 여자들을 대할 때 어떠한 태도로 대할 것인가? 그러한 느낌은 매우 중요하다.

마치 이미 모든 면에서 완벽해진 것과 같은 느낌을 갖고 여자들을 대하기 시작한다면 내면에서부터 변화가 시작될 것이다. 그리고 나아가 이러한 변화는 외적인 변화를 함께 가져오게 될 것이다.

시각화를 통해 매력적인 사람의 느낌과 행동들에 대한 온전한 '그림'을 잠재의식 속에 넣어둔다면 자신도 모르는 사이에 여자들을 대할 때에 내면에서부터 그러한 행동과 느낌들이 나타나게 될 것이다.

다만 조심해야할 것은 '생각으로 애씀' 이다. 실제적인 '행동가', or '실천가'가 반드시 되어야 할 것이다. 우리의 잠재의식 속에는 이미 어떠한 남성이 매력적인지에 대한 정보가 모두 저장되어져 있다. 다만 자기 자신이 그러한 남성이라고 느끼지 못하기 때문에 스스로 그러한 행동들이나 느낌을 스스로 허락하지 않는다.

사람이 19살이 되는 시점에서 우리의 잠재의식은 백과사전보다 많은 정보들을 저장해둔 상태라고 한다. 그렇기 때문에 우리는 이미 잠재의식적으로 매력적인 사람에 대한 모든 정보를 갖고 있다.

무엇인가를 더 배울 필요도 없이 '허락만 된다면' 그 느낌이나 행동은 모두 자연스럽게 흘러나오게 될 것이다. Peak State와 셀프어뮤즈먼트(self amusement)를 이해한다면 그 허락된 느낌 속에서 즐기는 법을 깨우치게 될 것이다.

우리가 추구해야할 차원은 피상적인 '멘트'나 '루틴', 혹은 '마술'을 넘어 내면에서부터 매력적인 느낌과 행동을 내면의 일관성을 갖고 끌어낼 수가 있는지에 대한 문제인 것이다.

아무리 모태솔로라고 할지라도 살면서 단 한번쯤은 자기 자신이 스스로 매력적이라는 느낌을 받은 적이 있을 것이고, 그 느낌 속에서는 일관된 행동을 하는 것이 너무나도 당연하고 자연스러운 행위였을 것이다. 아름다운 여자 앞에서도 그러한 느낌이나 행동을 일관성 있게 표출해 낼 수만 있다면 두 번 다시는 멘트나 루틴에 대해서 고민하지 않을 것이다. 멘트를 외우는 행동이 얼마나 무식하고 의미 없는 행동인지에 대해서 깨닫게 될 것이다.

영어회화를 잘하고 싶은 사람이 회화 문장 몇 개를 외운다고 해서 영어회화를 잘하는 것이 아닌 것처럼, 매력적인 사람이 되고자 하는 사람도 루틴이나 멘트 몇 개를 외운다고 해서 매력적인 사람이 되는 것은 아닐 것이다.

만약에 루틴이나 멘트로 사용해서 이성관계의 성공을 이루어냈다면 그러한 루틴이나 멘트 없이도 이미 성공했을 것이 분명하다.

■ 제 4장: 절대적인 자신감(The Core Confidence)을 향하여

누구나 알고 있다. 자신감이 있는 것과 없는 것을 구분하지 못하는 사람은 없다. 그것은 이성적이고 논리적인 생각이전에 이미 (1) 감정적으로, (2) 직감적으로, 그리고 (3) 본능적으로 느껴지는 것이다.

운전을 배울 수 있는 수준의 지적능력을 갖춘 사람이라면 누구나 '자신감'이 넘치는 사람과 '자신감'이 없는 사람을 생각하기도 이전에 직감적으로 구별할 수가 있다.

사교장소에서 방어적인 자세로 맥주병을 들고 긴장한 채 서서 두리번거리는 남성을 보면 누구나 그 사람이 자신감이 없다는 것을 '생각으로서' 정의내리기 이전에 마음으로 알아차리게 된다. 그 남성이 말을 한다면 아마 상대방에게 들리지도 않는 기어들어가는 목소리로 말 할 것은 너무나도 뻔하고, 굳어있는 얼굴표정에서 그의 긴장감을 느끼게 될 것이다.

'코칭(coaching)'을 하면서 사람들에게 어떤 행위가 자신감이 있고 없는지에 대해서 질문을 할 때가 있다. 그리고 모든 사람들은 어떤 행위가 자신감이 있는지 이해를 하고 있다.

자신감은 공부할 필요가 없다. 이미 우리는 자신감이 넘치는 행동이 무엇인지를 이해하고 있다. 본능적으로 그냥 알고 있는 것이다. 다만 그렇게 '자신감' 넘치는 행동을 스스로 허락하지 못할 뿐이다. 혹은 사회의 '인정'과 '승인'을 기다린다.

현대사회에서 자기 자신에게 주체적으로 '자신감'을 '허락'하고 '승인'하는 남성을 찾아보기란 어렵다. "남성성은 얼마나 더 추락해야만 하는가?"

'자신감'을 갖는 것이 마치 '죄'인 것처럼 너무나도 많은 사람들이 결국 사회의 '승인'을 얻어내지 못한 채 자신감 없이 인생을 살아가게 된다.

사람에게는 누구나 종교가 있다. 대부분의 사람들은 '사회'라는 종교를 믿고 살아간다. 그리고 그 종교가 정해준 믿음 속에서 인생을 살아가게 되는데, '자신감'을 갖기 위해서는 사회의 '허락'과 '승인'을 얻어야한다는 믿음 속에 살아가게 된다.

"자기신뢰(self reliance)란 참으로 아름다운 것이다." "자기 자신의 능력을 믿는 것, 그것은 재능이다." 라는 랄프 왈도 에머슨의 이야기는 항상 나에게 감동을 준다. 처음에 '자기신뢰'를 읽었을 때에는 그 내용이 온전히 이해가 되지 않았다. 하지만, '자기신뢰'는 읽을 때마다 더 깊은 내용의 이야기로 나를 감동시킨다.

"당신은 매력적인 사람이다. 당신은 자신감이 넘친다. 당신은 합당하고 충분하다." "'자신감'이 넘치는 자기 자신을 허락해라." 그것은 사회가 말해서도 아니고, or 에머슨이 말해서도 아니고, or 내가 말해서도 아니다. 스스로에게 자신감을 허락하기 위해서는 반드시 자기 자신의 결단이 필요하다. 그 순간에 분명 '저항감'을 마주하게 될 것이다. 처음에는 그 저항감에 무릎을 꿇게 될 수도 있다.

하지만 저항감에 맞서 한번이라도 승리하게 되면 두 번, 세 번, 열 번, 백번, 천 번, 그리고 만 번도 가능하다. 항상 처음이 가장 어려운 법이다. 꼭 매력적인 인생을 살아가기를, 매력적인 사람이 되기를, 그리고 매력적인 느낌과 행동 속에 존재하기를 결단하고 또 결단하라.

"자신감은 스스로 허락하는 것이지 사회나 그 누가 대신해주는 것이 아니다."

● 매력적인 남성들은 기본적으로 긴장하기보다는 편안해한다.
● 에너지레벨이 낮기보다는 숨이 깊고 더 큰 목소리로 자신의 에너지와 감정을 전달한다.
● 얼굴표정이 굳어있기보다는 더욱 다양한 표정과 여유에서부터 나오는 미소가 넘친다.
● 말이 너무 빠르기 보다는 자신의 템포를 자유자재로 통제할수가 있다.
● 여성의 반응이 나오지 않더라도 주도적으로 자신이 전달하고자 하는 것을 최대한 전달한다.

■ 제 5장: 인생의 자유, 선택, 그리고 집중된 삶

이 세상에 정해진 답은 없다. '종교적인' 해석 없이는 그 누구도 인류가 가진 삶에 대한 목표를 명쾌하게 대답할 수는 없다. 우리는 광활한 우주 속에서 먼지 같은 존재이다. 그 누구도 우리가 왜 태어났고, 무엇을 위해 살아가는지에 대해 대답하지 못한다.

결국 중요한 것은 본인의 선택이다. "어떠한 삶을 살아가기를 원하는가?" 확고한 목표의식이나 목적의식 없이는 그 무엇도 이루어 낼 수는 없는 법이다. 다른 사람에게 피해를 주지 않는 선에서, 사회적인 법규를 침범하지 않는 선에서, 그리고 자신이 책임질 수 있는 행동 내에서 우리에게는 자유가 있다.

그리고 생각보다 넓은 수준의 자유가 존재한다고 믿고 있다. 어떤 이들은 이성관계에서 "난봉꾼"을 꿈꾸기도 하고, 어떤 이들은 "카사노바의 삶"을 꿈꾸기도 한다. 어떤 이들은 "결혼"을 꿈꾸고, 또 어떤 이들은 "소울메이트"를 꿈꾼다.

11년 전 이성관계에 내 삶을 헌신하기로 결심하면서 나는 이 모든 것을 꿈꾸었다. 이성관계에서 실현가능한 모든 목표를 달성하기로 결단한 것이다. 이성관계에서의 성공과 행복을 바라는 남성이라면 누구나 매력적인 삶과 멋진 라이프스타일(lifestyle)을 희망할 것이다. 내가 이러한 라이프스타일(lifestyle)을 추구하게 된 것은 모두, "내가 좋아하는 여성이 날 좋아했으면 좋겠다."라는 강한 바람에서부터 시작되었다.

<!추구방향성> 그리고 이러한 현실을 달성하기 위해서 높은 가치의 매력적인 사람이 되었고, 여성과 소통하는 법을 배웠으며, 자신감과 남성성을 키우게 되었다. 여기에 더불어 여성의 본능과 심리를 이해 하게 되었다.

우연이나 행운을 바라지 말고 '본질적인 훈련'을 통해서 자신이 원하는 목표를 달성하면 될 것이다.

"수영을 배우기 위해서는 반드시 물속에 들어가야 한다."

"권투를 한다는 것은 곧 주먹으로 누군가의 얼굴을 가격한다는 것을 의미한다."

"군대에 입대하는 것은 곧 사람을 총으로 쏴서 죽이는 법을 익히는 것이다."

여성을 유혹하는 매력적인 남성의 현실에 도달하기 위해서는 그에 상응하는 행동이 분명히 존재한다. 마치 수영은 물에 들어가야만 하는 것처럼 말이다. 찌질한 남성들은 이성관계에서 절대로 하면 안 되는 행동들을 하는 경우가 많은데 그것은 마치 수영을 물 밖에서 배우려는 시도와 같은 것이다.

이성관계에서 구체적으로 하면 안 되는 행동들에 대해서 이해를 하는 것이 반드시 필요하다.

◎ 찌질한 남성들은 두려움을 회피하기 위한 행동에 익숙하다. 남자답게 주도하고 리드하기 보다는 여성의 말과 행동에 대해서 적절하게 대응하고 반응하는 법을 위주로 고민한다.

◎ 여성에게 거짓말을 하고 속이려고 한다. 자기 자신을 속이는 행동이나 말을 서슴지 않는다. 스스로에게조차 진실하지 않기 때문에 내면의 일관성을 유지하기가 거의 불가능에 가깝다. 여자에게 쉽게 영향을 받는다.

◎ 자기 자신이 되는 것을 두려워한다. 여자로부터 정체성을 구하거나, or 여자의 반응을 통해 피상적인 자신감을 얻기도 한다. 자신의 모습을 감추고 숨기기에 급급하다.

◎ 진짜가 되면 여자가 자신을 싫어할 것이라 '종교적인 수준으로' 확고하게 믿는다. 자신의 불완전한 모습을 보여주는 순간 여성으로부터 거절을 당할 것이라고 계속적으로 상상하며 불안에 떨며 걱정을 멈추지 못한다.

◎ 여성에게 숨기고 있던 자신의 모습을 여성이 알아채는 순간에는 당황하여 안절부절 못하고 자기 자신에 대한 모든 통제를 상실하게 된다.

■ 제 6장: 역지사지(易地思之)의 정신

　찌질한 남성들이 문제를 해결하지 못하는 이유는 단순하다. 안 되는 방법으로 고민을 하고, 생각을 하고, 그에 대한 해결책을 구하고 있기 때문이다.

　사실 진실한 연애코치(or PUA 강사)라면 '찌질한 남성'들에게 멘트나 루틴, or 마술을 절대로 가르쳐서는 안 된다. 그리고 전문성을 가진 사람들이라면 그들도 이러한 현실을 이해하고 있을 것이다.

　왜냐하면 멘트를 가르치는 수준은 '찌질한 남성들'의 차원에서 생각해낸 해결책이기 때문이다. 전문적인 강사들이 그것을 가르치는 이유는 단순히 찌질한 남성들이 그것을 강하게 원하기 때문일 것이다. 찌질한 남성들의 입장에서 생각하는 최고의 해결책은 지금 당장 여자에게 할 말을 찾아내는 것이 전부이기 때문이다.

　강사들의 입장에서 이러한 가르침이 '돈'이 되고, 동시에 멘트나 루틴은 가르치기가 편하고 쉽다는 이유로 계속해서 악순환은 반복되어지고 있다.

　나는 마술을 3년 동안 전문적으로 했었다. 11년이 지난 지금도 여전히 마술을 잊어버리지 않았다. 해외에 유명한 루틴을 모두 한국어로 번역해서 한국에서 실제로 사용해보고 '필드레포트(field report)'를 작성했던 나이다. 여자를 만나서 3시간동안 감정적인 자극을 줄 수 있는 스크립트를 만들고 그것을 달달 외워 여자를 만나고는 했었다.

　나는 11년 전 찌질남에서 시작하여 픽업아티스트 1세대로서 '고수'라는 닉네임을 사용하다가, 이후에 내츄럴(natural)의 길을 걷게 되었다. 4년 동안 길거리헌팅만을 하면서 다양한 여성들과 연애를 하다가 한 여성과 1년 동안 깊은 사랑을 경험하게 되었다. 결별 후에는 약 6년 동안 줄곧 클럽과 라운지 바에서 지속적인 어프로치(approach)를 통해 수많은 여성들을 만나왔다.

　그동안 이성관계에 매진한 시간은 10,000시간이 충분히 넘고, 수만번의 어프로치를 했으며, 수천번의 에프터를 하였고, 수백명의 여성들과 깊은 교제를 나누었다.

다양한 전문기관에서 리더십, 인간관계 그리고 자신감에 대해 지속적으로 배웠음은 물론이고, 대학원에서 석사과정까지 밟게 되었다. 앞으로는 논문을 쓰고 박사과정까지 밟아나갈 예정이다.

11년이라는 세월동안 꾸준히 블로그 활동을 하면서 작성한 이성관계 전문 칼럼만 최소 1,000개는 족히 넘는다.

멘트나 루틴을 작성해놓고 수강생들에게, "이거 외우세요." 그리고 "외운거 말하세요." 수준의 가르침만큼 강사에게 간단하고 편안한 것은 없을 것이다.

전문 강사라면 반드시 본질적인 이해가 필요하고, 본질적인 변화를 통해서 수강생들이 성공할 수 있도록 도와야할 것이다. 더불어 강사가 고기를 잡아주는 형태가 아니라 반드시 고기를 잡는 법을 가르쳐야만 한다.

상처가 있다면 그 상처를 제대로 치료해야지 헝겊으로 그 상처를 덮어둔다면 결국에는 곪아 썩어 문드러지게 될 것이다. 나는 이성관계 전문 강사로서 절대로 '가르침'에 대해서는 타협을 하지 않겠다. 어린 시절부터 나는 '영어 강사'로서 '리더십 강사'로서 활동을 하고, 'PUA 트레이너'를 거쳐 현재는 'YMC 이성관계(연애)코치'에서 11년째 가르치는 전문직에 종사해왔다.

나는 전문 강사로서 그 무엇보다 '찌질한 사람들'이 원하는 해결책과 노력들이 애초에 그들이 매력적인 남성 이였다면 발생하지도 않았을 문제에 대한 해결책과 노력이란 사실을 이해한다.

즉, 찌질한 남성들은 매력적인 남성 이였다면 생각하지도 않았을, "무슨 말을 하지?"에 대한 해결책을 찾기 위해 엄청난 노력과 투자를 아끼지 않는다.

하지만 그러한 노력과 투자는 무의미한 것이다. '찌질한 사람'의 관점에서 벗어나 '매력적인 남성'으로서의 큰 그림을 그려야만 진정한 해결책을 찾아낼 수가 있다. 의미 있는 노력과 투자를 하게 될 것이다. 그리고 그러한 노력 속에 진정으로 '매력적인 존재'로 거듭나게 될 것이다.

"AFC(average frustrated chumps)들의 무의미한 해결책과 노력"

◎ AFC는 발생하지도 않을 미래에 초점을 맞춘다. 자신의 상상 속에 존재하고 있는 막연한 두려움과 불안함을 해결하기 위한 해결책을 찾기 위해 깊은 생각에 잠기게 된다. 대부분의 경우 '생각으로 애씀'의 딜레마에 빠지게 되고, 생각으로서의 자기 자신인 에고(ego)를 만들어내면서 많은 시간을 낭비하게 된다.

◎ AFC는 두려움을 마주하기 보다는 회피한다. 두려움을 마주하고 행동하지 않게 되면 계속적인 자기방어기제가 작동을 하게 되면서 '회피'를 위한 해결책들을 찾아 나서게 된다.

◎ AFC는 행동을 했다면 존재하지도 않고 사라져버렸을 두려움에 대해 계속해서 시간을 허비한다. 생각 속에 거주하면서 결국에는 현실을 회피 하게 되고 편안하고 안락한 생각 속에 빠져들어 가게 된다. 실제적인 현실이 변화하지 않음으로 계속해서 부정적인 감정이 의식으로 올라오게 된다.

◎ AFC는 두려움을 맞서지 않고 그것을 해결할 방법을 찾는다. 두려움을 맞서서 본질적인 해결을 하려는 것이 아니라 '회피'를 할 수 있는 좋은 방법을 찾는 것에 집중한다. 이성관계의 시작과 끝은 '어프로치'인데, 어프로치를 하지 않고 여자를 만날 수 있는 방법을 강구하기 시작한다. 이는 마치 번지점프를 뛰기는 두려워하면서 번지점프를 뛰어내렸을 때의 짜릿한 경험을 느끼고 싶어 하는 것과 같다.

◎ AFC는 스스로가 불완전하고 부족하다고 생각하며 자신의 진짜 모습을 들키지 않도록 노력을 한다. '대면성' 보다는 '회피성'을 키워내며 다른 사람들의 시선을 계속해서 의식한다. 타인의 시선을 의식하는 상태에서는 당연히 긴장을 하고 있을 수밖에 없고, 결국 자기 자신이 되기보다는 사회가 되기를 바라는 수준의 평범하고 매력적이지 않은 현실에 안주하게 된다.

● 반면에 내츄럴은 발생하지 않을 미래에 초점을 맞추고 걱정하기보다는 지금 이 순간(현재)에 집중한다.

● 내츄럴은 두려움을 마주하고 지배한다. 두려움을 극복하는 순간 그들에게는 '자유'가 주어진다.

● 내츄럴은 '과감성', '즉흥성'을 발휘해내며 '창의적'으로 행동하기를 좋아한다. 번지점프를 뛰어야한다면 아무런 고민 없이 즉각적으로 뛰어내린다. 그들의 모습을 통해 다른 사람들까지도 번지를 뛰어내리고 싶게 만들어버린다.

● 내츄럴은 진정한 자기 자신이 되는 것을 두려워하지 않는다. 오히려 그러한 자신의 모습에 편안함과 안정감을 느낀다. 다른 사람들의 시선을 의식하기 보다는 자신이 행동하고 싶은 것을 사회의 틀 안에서 행한다.

자기 자신의 진실한 모습을 보여준다는 것은 찌질한 남성들의 관점에서는 자신의 추악한 면을 공개하는 것이다.

하지만 동일한 사람인 내츄럴(natural)들은 자신의 진정한 모습을 보여주는 것을 두려워하지 않는다. 더불어 자기 자신의 최상의 모습을 보여주는 것에 집중한다. 여성에게 인정받기위해 행동하기 보다는 그렇게 행동하는 것이 당연하다고 믿을 가능성이 크다.

개성, 고유함, 감정표현, 높은 에너지레벨과 역동성, 리더십, 자신감, 당당함, 안정감, 편안함, 즉흥성, 용기, 모험심, 과감성, 즐거움, 재미, 유머감각, 침착함, 여유, 풍족함, 남성성, 섹시함, 남자다움, 확고함, 자기신뢰, 자기확신, 야망, 열정, 리더십, etc. 등과 같은 다양한 가치들을 발산해내고 이러한 가치들을 발산해내는 것을 말 그대로 즐긴다.

더불어 이러한 가치를 나타냄으로 인해서 자기 자신을 온전히 통제하고 있다고 느끼며 그렇기 때문에 스스로에 대해 긍정적인 느낌을 가질 수밖에 없다. 이러한 통제 속에 더욱 더 자신감이 넘치게 되고, 높은 수준의 자존감을 유지하며 인생을 더욱 가치 있게 바라보게 된다.

최고의 자기 자신이 되는 것은 곧 스스로에 대한 느낌으로 남게 되고, 자극적인 감정상태속에서 이러한 경험은 쉽게 개인의 소중한 추억으로 잠재의식에 각인이 된다.

"자기 자신을 더욱 사랑하게 되고 결국 자신이 이 세상을 향해 표출하고 표현하는 모든 가치들은 결국 자기 자신과 모두를 위한 것을 이해하게 된다."

■ 제 7장: 본질적인 수준의 변화

"나는 이미 합당하다. 나는 충분하다. 나는 매력적이다."

나폴레옹힐은 우리가 생각하는 것을 현실화시키는 것은 하나의 능력이라고 이야기를 했다. 나 역시 이러한 말에 크게 공감을 한다. 우리가 상상하고 생각하고 바라는 것을 '현실화'시킬 수 있는 힘이야말로 현대사회의 사람들에게 가장 필요한 능력중 하나가 아닐까란 생각을 한다. 너무나 많은 사람들이 현재가 아닌 과거나 미래에 빠져 살아간다. 생각 속에 살아간다는 것이다. 그리고 실제적인 노력이 아닌 '생각으로서의 애씀'을 통해서 자신의 소중한 시간을 허비하고 낭비하고 있다.

이제는 깨어나야만 한다.

우리는 이미 우리가 충분히 매력적인 존재라는 사실을 이해해야만 한다. 내가 스스로 매력적이라고 느끼는 감정 상태와 사고 속에서 매력적인 존재로 거듭나는 것이지 외면이 변한다고 해서 갑자기 "나는 매력적이다."라는 믿음이 생기는 것은 아니다.

강점 관점 속에서 그 누구에게보다 자기 자신에게 주의를 기울이고 자신의 매력을 찾아내고 지속적으로 그러한 색깔들을 강화시키는 것에 초점을 맞춰야만 한다.

완벽한 사람은 없기에 누구에게나 흠은 존재한다. 나에게도 물론 흠이 있을 것이다. 그럼에도 불구하고 우리는 자신의 매력을 찾아내야만 한다. 그리고 그러한 매력에 집중하여 장점은 극대화시키고, 단점은 최소화시키는 노력이 반드시 필요하다.

"나는 매력적이다."라는 메시지가 자신의 잠재의식에 전달이 되고, 잠재의식으로부터 이러한 생각, 느낌, 행동이 나타나기 시작하게 되면 우리의 외부세계는 내면을 비추는 거울처럼 자연스럽게 매력적인 존재로서 나타나게 될 것이다.

이미 우리에게는 풍족하고 충분한 내적자원이 마련되어져 있다. 높은 가치의 남성, 강인한 남성, 매력적인 남성에게 필요한 모든 내적인 가치들은 '과감성, 즉흥성, 즐거움, 확고함, 편안함, 안정감, 침착함, 여유 등'은 이미 우리 안에 있다.

이러한 가치를 얻기 위해서 피상적인 자극이나 외부의 것을 의존할 필요가 없는 것이다. 이미 우리안에 있다는 사실을 이해하기만 하면 된다. 내가 진실로 매력적인 사람이라는 믿음을 갖게 된다면 머지않아 그에 상응하는 현실들과 증거들이 나타나게 될 것이다. 이러한 믿음을 먼저 갖지 않으면 현재 자신의 내면에 존재하는 믿음에 대한 현실과 증거만이 외부세계에 표출되고 나타날 뿐이다.

외부세계를 보면 그 사람의 내면을 이해하게 된다. 왜냐하면 내면에 있는 대로 나타나기 때문이다. 스스로를 사랑하고 소중하게 여기는 마음은 필수적이다. 이것은 '선택'하는 것이다. 그 누구도 '선택' 없이는 스스로를 사랑하고 소중하게 여길 수는 없다. 사랑이라는 게 본래 그런 속성을 지니고 있다. 그래서 '매력'은 선택이 아니지만(attraction is not a choice), '사랑'은 선택이라 믿는다.

진실로 '매력적인 남성의 현실'을 살아가고 싶다면 그 무엇보다도 그 누구보다도 자기 자신을 설득해내야만 한다. 여자에게 '인정'받기 위해서 노력하기보다는 스스로의 생각, 신념, 믿음, 잠재의식, 느낌, 경험에서부터 "나는 매력적이다."라고 느껴 자신의 내면에 먼저 영향을 끼쳐야 한다는 것이다.

물론 이러한 현실을 살아가기 위해서는 자신의 내적자원을 계발하고 자신의 '강점'에 집중하는 정신적인 습관을 키워내야만 한다. 사교현장(social field)에 나아갈 때에는 '매력적인 남성'처럼 옷을 입고, '매력적인 남성'처럼 서있고, '매력적인 남성'처럼 행동하고, '매력적인 남성'처럼 말하고, 심지어 '매력적인 남성'처럼 느끼고 생각해야만 한다.

절대로 찌질한 남성들이 하는 고민, "무슨 말을 하지?"를 멈추길 바란다. 그러한 고민은 우리를 더욱 찌질 하게 만들뿐이다. 자신이 매력적이라는 믿음 속에 살아가는 남성들은 하나같이, "오늘 신나고 재미있게 놀자."라는 생각을 하며 그 생각에 집중하는 경향을 보인다. 여자에게 접근해서 무슨 말을 할지 고민할 시간에 어떻게 하면 더욱 재미있고 즐겁게 놀 수 있을지에 대해서 고민을 한다는 것이다.

자신이 통제할 수 있는 '의식'을 통제하여 막혀진 벽이 아닌 뚫려있는 길을 보는 습관을 가져야만 한다. "오늘 나는 즐겁고 신나게 놀 것이다. 어떻게 하면 즐겁고 신나게 놀 수가 있을까? 오늘 내가 있는 공간의 즐거움과 재미는 내가 책임진다."라는 마음가짐을 품고 도움이 되는 생각을 품고 그것을 실현 하기 위해 과감하게 자기 자신을 던지면 될 것이다.

이러한 생각의 방향성이 잠재의식에 습관으로 자리 잡히게 된다면 계속해서 더욱 즐겁고 재미있는 일들이 자신의 삶으로 들어오게 될 것이다.

그 무엇보다도 막혀있는 벽을 향한 질문이 아닌, 뚫려있는 길을 향한 질문을 하는 습관을 가져야만 한다. 그렇기 때문에 생각의 방향성은 굉장히 중요하다. 너무나도 많은 사람들이 잘못된 질문과 생각으로 시간을 낭비하고 허비한다. 올바른 질문과 생각을 통해 정상을 향해 달려 나가기를 바란다.

■ 제 8장: 현시대에 걸맞은 새로운 길, The Creators of Innovative Culture.

어쩌면 가까운 미래에 사람들은 더 이상 이성관계에 대해서 고민을 하지 않게 될지도 모르겠다. 출산율은 떨어지고, 고령화시대가 열리게 되었고, 이혼율은 치솟고 있다.

역사적으로 볼 때에 여성의 인권이 향상된 것은 약 100년밖에 되지 않았고, 여전히 여성의 인권이 무시되어지고 있는 수많은 나라들이 존재한다. 약 10년전 왜 대한민국에서는 '픽업아티스트 붐'이 발생을 하였는가? 처음 픽업아티스트에 대한 지식이 우리나라에 전파되기 시작했을 때에 동시다발적으로 수천 명의 남성들이 이러한 지식을 습득하기 위해 노력하였다. 그것은 분명히 '필요(demand)'에 의한 '공급(supply)'이였을 뿐이다.

남성의 인권이 추락하면서 대한민국 남성들 대다수는 이성관계를 어려워하게 되었다. 남성성이 거세가 되었다는 비유가 딱히 틀리다고 보기는 어렵다. 너무나도 많은 남성들이 자신감과 리더십을 상실하였고, 여성에게 조금이라도 잘못하게 되는 날에는 성추행범이나 성폭행범으로 몰리는 현실을 살아가게 되었다.

"통찰력을 갖고 현 사태를 냉철하게 바라본다면 분명히 우리나라 남성들에게는 '현시대에 걸맞은 새로운 길'이 필요하다는 것이다."

연애포기, 결혼포기, 출산포기 등은 우리나라의 실제적인 현실이다. 그리고 2017년 현재는 오히려 여성들의 인권보다 남성들의 인권이 역차별을 받는다고 여론이 뜨거운 시기이다. '양성평등'을 주장하게 된 것은 이러한 시대의 흐름을 상징적으로 나타내고 있다. 심지어 최근에는 여성도 군대를 가야한다는 주장이 나타나고 있다.

여성의 인권이 높아지고 남성보다 경제적으로 훨씬 더 부유한 여성들이 탄생했음에도 불구하고 여전히 남성들은 이성관계에서 큰 책임이 부여가 되어있다. 결혼을 하게 되면 남성이 당연히 집을 사가야 하는 것이 우리나라의 현실이다.

집뿐만이 아니라 많은 부분에서 여전히 남성들은 이성관계의 권리를 상실하게 되었고 책임만 남겨진 상태에 빠져들게 되었다고 해도 과언이 아니다. 양성평등이 강한 국가의 여성들을 잠시만 만나 봐도 우리나라가 얼마나 심각한 상태인지 이해할 수가 있을 것이다.

실제로 현시대에 와서 돈이 많은 사람은 결혼을 기피하는 현상이 발생하게 되었고, 돈이 없는 사람은 돈이 없어서 결혼을 하지 못하는 웃기는 상황에 처하게 되었다.

여성인권운동이 가장 처음 시작된 국가인 '영국'에서조차 더 이상 페미니즘을 '양성평등'이라고 여기지 않는다. 양성평등을 찬성하는 사람들은 80% 이상인데 반해 페미니즘을 찬성하는 사람은 약 10%정도에 불과하다. 이제 사람들은 페미니즘이라는 여성인권운동이 더 이상 양성평등을 위한 것이 아님을 깨우쳤기 때문이다.

대표적인 페미니즘 국가인 뉴질랜드는 남성들이 여성들과 결혼을 하려고 하지 않는 기피 현상이 심각한 수준으로 발생을 하였고, 결국에는 다시 법을 개정하여 남성에게 유리한 법을 만들어내고 있는 실정이다.

"남자로 태어나서 군대도 다녀오고 법적인 책임과 의무를 다하면서 다른 사람에게 피해를 주지 않고 살아가고 있다."

'픽업아티스트'는 성폭행범도 성추행을 일삼는 남성들이 아니다. 그럼에도 불구하고 자극적인 뉴스기사와 미디어를 통해 남성성을 회복하려는 움직임을 원천봉쇄하고 차단하고 있는 실정이다. 외국에는 여성 픽업아티스트가 존재하지 않는데, 오히려 한국에서는 '여성 픽업아티스트 강의'가 더욱 불티나게 팔리고 있는 현실만 본다고 할지라도 우리나라의 여성인권과 권력이 얼마나 막강한지를 이해할 수가 있을 것이다. 남성 카페들이 처참하게 난도질을 당하는 상황에서도 여성 픽업아티스트 카페만은 블라인드를 당하지 않았었다. 남성들의 인권은 항상 무시당하고, 여성들의 인권은 지켜져야만 하는 현실에 살아가고 있다.

'당연히 남성들은 이러한 불평등과 역차별에 반기를 들 수밖에 없게 되었다.' 나는 '양성평등'에 찬성하고 이를 추구하며 동시에 '남성 인권'이 강화되기를 바라는 사람이다. YMC를 통해서 남성들의 인권은 물론이고, 리더십, 자신감, 남성성, 그리고 권력이 회복되기를 바라는 마음이 굉장히 커지게 되었다.

　대한민국이라는 나라에서 '저출산문제' 혹은 이성관계에서 발생하는 다양한 문제들에 대해서 국민의 혈세를 수조원이나 쏟아 붓고도 실질적인 실적으로 얻어내지 못하는 이유는 그 모든 '이성관계'에 대한 해결방안이 여성에게만 초점을 맞춰져있기 때문이다. 쉽게 말해서 우리나라는 남성만을 '문제'로 바라보는 선입견이 존재한다는 것이다. 남성은 문제이고 여성은 항상 도움이 필요한 약자라는 패러다임에서 접근을 하고 있는 것은 참으로 안타까운 현실이라고 할 수가 있다. 얼마나 시간이 걸릴지는 모르겠지만 어쨌든 '양성 평등'을 이루어낼 수 있는 방향성으로 나아갔으면 좋겠다.

　더불어 여성들은 절대로 '지배성'이나 '권력' 진화심리학적으로 이야기를 하자면 '생존력'이 부족한 남성에게 매력을 느끼지 못한다. 본능적으로 여성들은 이러한 가치를 갖지 못한 남성들을 무시하게 되어있다. 실제적인 현실을 반복적으로 경험해보면 이 말이 사실이라는 것을 이해하게 될 것이다.

　그렇기 때문에 현 시대에서 결국에는 남성들의 '권력'이나 내면적인 '생존력'을 스스로 강화시켜야만 한다. 그러한 가치에는 '과감성, 즉흥성, 즐거움, 확고함, 남성적 섹시함, 침착함, 여유 등'과 같은 가치들이 존재한다고 믿는다. 이러한 내적인 가치들의 강화를 통하여 우리는 존재 자체로 매력적인 남성이 될 수가 있다.

　그리고 그것은 곧 여성들이 본능적으로 좋아할 수 있고 끌리는 남성의 현실을 의미한다. 그 누구도 자신보다 낮은 가치라고 느껴지는 사람과는 친해지고 싶어 하지 않는다. 우리가 누군가와 친해지고 싶어 하는 감정을 느끼는 순간은 그 사람이 뭔가 가치 있는 것을 갖고 있을 때이다. 대한민국의 이성관계가 '정상적인 궤도'로 들어가서 2050년에 만 65세 고령화인구의 비율이 40%

가 넘어서는 것을 막아서려면 그 무엇보다도 남성들이 변해야만 할 것이다.

남성들이 변해야한다는 것은 남성들이 남자다워져야 하고, '강인한 남성성'을 회복해야한다는 것이다. 그것은 여성들에게 본능적으로 가치가 있고, 매력적이고, 끌리는 '가치'이기 때문이다.

이것이 YMC에서 추구하고 있는 후천적인 매력의 계발이다. 결국에는 본인의 내면에 감춰진 자신의 '남성성'을 일깨우는 것에 초점을 맞추는 것이다.

그것은 본인 자신에게도 유익하고, 이성관계에서도 매우 유익하기 때문에 우리의 삶에 있어서 올바른 방향성이라고 할 수가 있다.

어쩌면 과거에는 공산주의와 민주주의가 대립했던 것처럼 현 시대의 '이데올로기의 딜레마'에 빠져있는지도 모르겠다.

모두가 공산주의가 좋다고 '생각'은 한다. 그것은 지구상의 유토피아를 건설하는 가장 위대한 사상이 될 수도 있다. 다만 그것은 '현실'이 아닌 '생각'일 뿐이다. 실제적으로 공산주의는 이 땅에서 단 한 번도 성공한 적이 없고, 모든 시도는 실패하게 되었다.

생각이나 말로는 불가능한 것이 없다. 누구나 생각이나 말로는 신이 될 수 있다. 그렇기 때문에 나는 실제적인 현상이나 행동, 행위, 현실에 항상 큰 관심을 갖고 있다. 나는 절대로 사람들이 하는 말을 잘 믿지 않는다. 그 사람의 실제적인 '행동'과 느껴지는 '존재감' 그리고 '영향력' 등을 바라본다. 그러면 나는 그 사람이 어떤 사람인지 이해하고 알 수가 있게 된다.

현대의 이성관계에서 너무나도 좋은 사상들과 생각들이 많이 존재하고 있다. 다만 문제는 그것이 '현실'과는 굉장히 큰 괴리감을 갖고 있다는 것이다. 누구나 공산주의처럼 전 인류가 행복할 수 있는 유토피아를 꿈꿀 수는 있다. 하지만, 불행히도 현실은 그렇지가 않다. 그렇기 때문에 생각만으로 이성관계의 성공이나 행복을 정의하고 그러한 사상을 추구하면 추구할수록 '고통'만이 더욱 심해질 것이다. '부익부 빈익빈'과 같은 실제적인 현상과 현실을 이해하고, 그에 대응하여 자신이 어떻게 이러한 '자유경쟁' 속에서 살아남을 수 있을지에 대해서 계속적인 고민을 해야 하고 올바른 방향성과 효과적인 전략을 통해서 자신의 이성관계의 성공과 행복에 대해서 100% 책임을 지는 자세가 필요하다.

내 자신이 나의 행복을 책임져주지 않으면 그 누구도 나의 행복을 책임져주지 않을 것이다. 나이가 든 후에 여자를 탓하든, 사회를 탓하든 그것은 의미를 갖지 않는다. 결국 모든 것은 나의 책임이다.

어쩌면 '여성을 유혹하는 방법'을 배우는 것은 '자유경쟁시장'에서 자기만의 사업을 새롭게 시작하는 것과 같다. 하지만 '공산주의체제'의 관점에서 이러한 노력을 하는 사람들이 등장하게 되면 그것은 형평성에 어긋나는 것이라 판단될 것이다.

실제적인 현실을 마주해보면 우리가 사는 이 시대는 모두의 행복과 평등을 꿈꾸는 유토피아가 아닌 '자유경쟁시장' 속에서 살아가고 있다는 점을 명심해야 한다. 어느 날 갑자기 나보다 매력적인 남성이 나타나서 내가 원하는 여성들을 유혹하는 데에 성공한다면 그제야 인생이 불공평하다고 느끼게 될 것이다. 지금이라도 늦지 않았으니 시작하길 바란다. 이성관계의 시작과 끝은 '어프로치'이다. 그렇기 때문에 반드시 '어프로치'를 잘해야 한다. 어프로치를 잘하기 위해서는 돈이 필요한 것도 아니고, 슈퍼카가 필요한 것도 아니다. 그저 최대한 말끔하게 차려입고 헤어스타일링을 한 후에 여성에게 다가가면 된다. 여성에게 3초안에 다가가서 말을 해라. 그것은 곧 자기 자신을 여성에게 '어프로치'를 하는 행위 그 자체에 밀어 넣으라는 것이다. 고민은 짧으면 짧을수록 좋다. "1, 2, 3!"을 외치고 바로 접근하라.

"Just do it!" 생각으로서 애쓰는 사람이 되지 말고, 실제 현실을 수용하고 그 안에서 자신의 성공과 행복을 책임지는 사람이 되길 바란다. 행동하지 않으면 단언컨대 그 어떠한 변화도 발생하지 않을 것이다. 그러니 나이키의 조언을 받아 꼭 행동하는 사람이 되길 바란다.

자신의 경쟁력을 높이고, 더욱 매력적이고 높은 가치의 남성이 되라는 것이다. 모든 변화와 성공은 내면에서부터 시작되어 외부세계로까지 영향을 끼치게 된다. 무슨 수를 써서라도 다른 남성들보다 1% 라도 더 매력적인 요소를 갖춰야만 한다. 그것은 곧 '사회적으로'의 매력이 아닌 '남성적으로'의 매력을 의미하는 것이다. 이성관계에서의 성공과 행복을 바란다면 자신의 모든 것을 걸고 최선을 다해 원하는 수준에 도달해야만 할 것이다.

나는 이러한 '남자가 가진 내면의 매력'을 알리고, '이성관계 에서의 남성과 여성의 올바른 관점과 역할'을 전파하기 위해 이 책을 쓰게 되었다. 누군가는 이것이 성차별이라고 비난할 수도 있을 것이다. 하지만, 나는 허무맹랑한 생각으로 유토피아를 꿈꾸는 이상주의자가 아닌 현실주의자이다.

"'실제로', 그리고 '현실적으로', 그리고 '본능적으로' 여성이 좋아하고 끌릴 수밖에 없는 '남성의 가치'를 본질적으로 이해하고 그 '끌림(attraction)'에 대한 경쟁력을 키우자고 주장하고 있을 뿐이다. 그 능력을 키워내지 않는다면 결국 손해 볼 것은 자신밖에 없을 것이다."

그렇기 때문에 이 책에서 이야기를 하고 있는 가이드라인(guideline)을 잘 숙지하고 본질적인 가치들을 훈련해나간다면 누구나 '찌질한 남성'에서 벗어나 '내츄럴'로 진화하게 될 것이라 믿는다.

이미 자신 안에 내재되어있는 남성으로서의 매력을 찾게 될 것이고, 진실로 "나는 이미 매력적이다."라는 믿음을 키워나가게 될 것이다.

매력은 선택이 아니고, 본능적인 차원에서 느껴버리는 것이다. 그것은 이성적인 설득이나 논리적인 대화로 만들어지는 것이 아니다. 그 누구도, "나 지금부터 이 남자한테 매력을 느낄래."라고 결심을 한 후에 매력을 느끼지는 않는다. 그냥 느껴지는 것이다. 이 책의 가장 큰 중심에는 어떻게 하면 그러한 '매력'을 느껴버리게 하는 남자가 될 수 있느냐에 초점이 맞춰져있다.

이 책을 반복적으로 읽은 후에는 무엇을 해야 하는지, 혹은 하지 말아야하는지에 대한 확실하고 명확한 방향성이 마음에 자리 잡게 될 것이다.

꽃이나 하늘을 봤을 때에 그저 아름답다고 느껴버리는 것은 그것을 이성적으로 정의하고 난 후에 발생하는 감정이 아니다. 이미 그렇게 느껴버리는 것이다. 내츄럴이 된다고 해서 모든 여성을 유혹할 수는 없다. 하지만, 내 자신이 매력적이라고 느끼는 감정 상태는 '높은 자존감'을 의미하고 이미 그 자체로도 충분한 보상이 된다고 믿는다. 그리고 그러한 존재감과 영향력 속에 살아가게 되면 확실히 더욱 많은 '사람'과 '관계'를 나의 삶속으로 끌어당기게 될 것이 분명하다.

■ 제 9장: 현존 (Being present to the moment)

'저항감'은 우리를 기존의 상태에 머무르게 도와주는 역할을 한다. 여기에서 의미하는 기존의 상태란 살아 숨 쉬는 데에 있어서 아무런 문제가 없는 상태라 할 수가 있다.

어쩌면 우리가 사는 이 사회는 인류의 양식화에 성공한 사회이다. 더 이상 자연산(natural)인 사람은 존재하지 않고 모두가 '양식화된 인간'이 되어 버린 지도 모르겠다.

그렇기 때문에 저항감이라는 감정 상태는 우리를 안전하게 살아있도록 도움을 주는 감정으로만 여겨지는 경우가 굉장히 많다.

이 저항감을 긍정적인 것으로만 생각할 수도 있지만, 우리의 성장과 변화를 가로막고 있는 가장 큰 장벽이라는 생각을 해본다면 때로는 저항감을 반드시 극복하고 이겨내야만 하는 그러한 감정이라는 사실을 이해할 수가 있을 것이다.

물론 저항감이라는 감정을 통해서 우리는 생명을 더욱 안전하게 유지해 나갈 수가 있다. 하지만 단순히 살아있는 것만으로는 우리의 '삶'에 의미와 가치를 모두 충족시킬 수는 없다. 그렇기 때문에 우리는 반드시 저항감을 극복해야하고, 변화하여 성장하는 삶을 누려야만 할 것이다.

사람은 '성장'할 때에 가장 큰 기쁨과 행복을 누린다고 한다. 더불어 결혼생활에 성공적인 커플들을 조사해본 결과 결혼생활을 통해 '성장'이라는 가치를 공유하는 커플들일수록 삶의 질에 대한 만족도가 가장 높았다고 한다. 그렇기 때문에 우리는 그 무엇보다도 성장하는 삶을 살아야만 할 것이다.

'현존(Being present to the moment)'의 개념은 에크하르트 톨레를 통해 이 세상에 널리 퍼지게 되었다. 그의 저서인 '지금 이 순간을 살아라.'를 읽어본다면 현존에 대한 개념을 이해하고 '에고(ego)', 즉 생각으로서 만들어진 자기 자신에 대한 이미지가 무엇인지에 대한 지식을 얻게 될 것이다.

현존의 개념을 YMC 에서는 지금 이 순간을 있는 그대로 수용하는 것이다. 깊은 생각에 잠기거나, 혹은 생각으로 애쓰는 상태에 빠져서는 안 될 것이다. 우리가 바라는 것은 실제적인 행동이다. 현존을 한다는 것은 실제적인 행동, 도전, 모험, 과감성 등을 의미한다. 자기 자신을 실제의 현실 속으로 밀어 넣는 것이다. 그렇기 때문에 어프로치를 할 때에는 3초안에 해야만 한다.

물론 The Mystery Method 에도 Three Second Rule 이라는 규칙이 존재하고 있다. 여자에게 말을 걸때에는 3초안에 말을 걸어야한다는 것이다. 물론 대부분의 남성들은 이러한 상황을 굉장히 부담스러워할 수밖에 없다. 스스로 준비가 안되었다고 느낄 것이 뻔하기 때문이다.

"무조건 3초안에 말을 걸어라. 예외는 없다."

그리고 우리가 추구해야하는 것은 일단 여성에게 어프로치를 한 후에 그 불편한 상황 속에서 '현존'하는 법을 배우는 것이다.

불편하고 불안정한, 혹은 두려움과 공포심이 가득찬 순간에 자신을 밀어 넣고 그 안에서 현존을 하는 것이다.

"그냥 일단 다가가서 말을 걸어라."

"이야기하자.", "놀자.", "나랑 사귀자." 중 하나의 확고하고 일관성 있는 태도와 의도를 갖는 것이 중요하다. 더불어 자신을 일단 그 상황에 던져 넣었다면 그 안에서 빠르게 '임기응변'을 해내는 '상황대처'를 해내는 '위기상황극복'을 하는 '반대극복'을 하는 등의 '즉흥성(improvisation)'을 훈련하라.

사람은 습관의 동물이라 했다. 자신이 반복적으로 하는 행위를 강화하게 되어있다. 생각이나 준비할 틈도 없이 3초안에 일단 여성에게 접근을 해버린 후에 자신을 그 상황 속에서 '즉흥성', '일관성', '즐거움', '확고함', '남성성', '침착함', '여유' 등을 발휘해내기 시작하면 이러한 능력이 강화가 된다는 것이다.

여성에게 무슨 말을 할지 생각을 하고 대화를 하기 시작하면 평생 여자와 대화를 할 때에 무슨 말을 할지에 대해서 생각을 해야만 한다. 사람은 자신이 하는 행위를 강화시키기 때문이다. 20년이 지난 이후에는 여성에게 무슨 말을 할지에 대해서 더욱 깊이 생각을 하고 말하게 될 것이다.

하지만, 3초안에 자신을 일단 그 상황에 밀어 넣은 후에 즉흥성을 발휘하기 시작하면 20년 후에는 정말 '쩌는 즉흥성'을 갖게 될 것이다. 그러니 일단 접근해서 자신을 그 상황에 몰아넣고 '확고함'과 '일관성'을 발휘하라. 그러면 그 행위가 강화될 것이다.

처음에는 3초 만에 여자에게 일단 접근해서 말을 하는 행동을 이성적으로 논리적으로는 이해하지 못할 것이다. 그렇게 행동하면 실패만 할 것이란 '자기불신'에서 벗어나는 게 어려울 것이다. 하지만 그렇게 행동하면서 한두번 성공하기 시작한다면 굳이 무슨 말을 할지 고민을 해서 되는 게 아니라, 무슨 말을 할지 고민을 해서 되는 것이 아니라는 현실을 깨우치게 될 것이다.

내가 11년 전에 3년 동안 '루틴', '마술', 그리고 '멘트'에 집착을 하면서 깨우친 사실은 사실 내가 유혹에 성공한 여성들은 '마술'이나 '멘트'가 없었어도 유혹에 성공했을 것이라는 사실이다. 그리고 어차피 안될 여성은 아무리 현란한 '마술'이나 '멘트'를 사용한다고 해도 안 된다. 이 사실을 시행착오 없이 안다는 것은 축복이다.

물론 선택은 본인의 것이다. 이해하고 그냥 해볼 각오를 한다면 '내츄럴의 방식'대로 잘할 수 있을 때까지 해보는 것이 중요하다. 그러면 다시는 여성 앞에서 무슨 말을 할지에 대해서 고민하거나 준비하지 않는 남성이 될 것이다.

더불어 진실로 매력적인 남성이 여성에게 무슨 말을 할지를 고민하고 생각에 잠긴다는 것은 말도 안 된다고 믿는다. "생각을 멈추고 현존하라." 심지어 나는 '멘트'를 준비하거나 '루틴'을 사용해서 여자를 유혹하고 성공하는 것이 위험하다고 생각을 한다.

사람은 어쨌든 자신이 믿는 것에 대한 증거를 찾아낼 수가 있기 때문에

'멘트'를 사용해서 한번이라도 성공을 하게 된다면 잘못된 신념을 갖게 될 것이 뻔하기 때문이다. 평생 여자를 대할 때에 '멘트'를 사용해야만 매력적인 사람이 될 수 있고 성공할 수 있다는 틀에 갇혀 버릴 수가 있다. 내가 그 틀에 갇혀 3년이라는 시간을 자유 없이 여자를 만날 때마다 무슨 말을 할지를 고민하고 준비하는 상태로 시간을 허비하고 낭비하였다.

여자를 만날 때에 불안해하거나, 걱정에 빠지거나, 혼란스러워하거나, 긴장을 하는 것은 모두 자기 스스로를 믿지 못해서이다. 만약에 자기 자신을 믿고 일단 불편한 상황 속에 자신을 몰아넣은 상태에서도 '자기통제'를 잃지 않고 최고의 자기 자신이 되는 것이 굉장히 중요하다.

'과감성'을 발휘하고 '즉흥성'을 발휘하는 습관을 갖기 시작한다면 그것이 강화가 된다. 반대로 생각을 하는 것을 반복한다면 그것이 강화된다. 다시 한번 이야기하지만 사람은 습관의 동물이다. 자신이 지금 하고 있는 행위를 강화시킨다. 이 사실을 꼭 기억했으면 좋겠다. "그러니 지금 당장 앞으로 강화시키고 싶은 행동을 해라."

언젠가는 모두가 지금 이 책에 쓰인 깊은 뜻을 이해하게 될 것이다. 반복해서 책을 읽으며 실제적인 경험을 하게 될 때에, 혹은 올바른 방향성의 습관을 강화시키는 것에 성공했을 때에 얼마나 많은 사람들이 잘못된 방향성과 전략 속에서 살아가고 있는지를 이해하게 될 것이다. 하지만, 그 모든 사실을 이해하고 시작할 수는 없는 법이다.

"남자답게 행동하라." 그리고 절대로 그 남성성에 대한 의도와 확고함, 일관성 등을 포기하지 마라. 남자임을 포기하는 것은 여성에게 가장 큰 감정적인 자극을 포기하는 것과 마찬가지이다.

"할 말이 없다."는 것은 핑계에 불과하다. 그것은 주도적이기를 포기하는 말이다. "할 말이 없다."는 핑계 속에 살아가는 것은 곧 내가 아무것도 안 해도 누군가가 날 이끌어줬으면 좋겠다는 안일한 감정에서부터 나타난다. 일단 접근해서 뭐라도 이야기를 해봐라. 자신이 무슨 이야기를 하는지를 살펴봐라. 항상 그 기준은 '남자답게' 했는지 이다. 그리고 확실한 의도를 정확하고 명확하게 전달했는지가 매우 중요하다.

남자는 여자를 만나야한다. 더욱 많은 여성들을 만나서 경험을 쌓아라. 여성들을 많이 만나다보면 얼마 지나지 않아 자신과 적합한 여성과 연애를 하고 사귈 수 있는 현실에 도달하게 될 것이다.

그 모든 것의 시작은 3초안에 '안전지대'를 뚫고 나와 자신을 불편한 상황으로 몰아넣는것에서부터 시작을 한다. 그 상황속에서 현존을 하라. 이러한 이성관계의 모험을 즐겨라.

"결국 '접근(approach)'을 해야만 모든 이성관계는 시작이된다." '접근은 모든 이성관계의 시작이다.' 아무리 이성관계에서 성공적인 사람이라고 할지라도 여성에게 접근을 해야 이성관계를 시작할 수가 있고, 이성관계에서 실패적인 사람이라면 더더욱 여성에게 접근을 해야만 이성관계에 대한 길이 열리게 될 것이다.

저항감을 이겨내라. 현실을 회피하지 마라. 생각으로 애쓰지 마라. 자신의 현실에 대해 합리화를 하거나 정당화를 하지 마라. 매 순간 자신의 책임을 받아들이고 당당하게 해야 할 것을 해라. 현존을 하고, 이성관계의 모험을 그저 즐겨라.

3초안에 접근하고, 접근을 했다면 그 상황을 즐겨라(현존) 그리고 그 순간에 자신이 할 수 있는 모든 것을 최선을 다해서 발휘하라. 그것으로 충분하다.

그리고 이러한 방향성위에서, "여성을 유혹하는 것에 성공을 하든지, 혹은 실패를 하든지 자기 자신으로서 하라."

더불어 이렇게 자신을 계속해서 '안전지대' 밖으로 밀어 넣어 '생명의 위협'을 느끼는 상황에 처하게 될 때 사람은 '슈퍼의식(super conscious mind)'이 작동하게 된다.

NLP에서 이야기를 하는 '최상의 상태(peak state)'를 경험하게 될 것이다. 그것은 곧 생명의 위협을 느끼는 공포심에 쌓여있지만 그러한 두려움을 마주하고 현존을 하는 순간에 우리의 에너지레벨이 높아지면서 무의식과 잠재의식에서 생존에 필요한 모든 '자원(resource)'을 의식으로 쏟아부어주는 것을 의미한다.

이것은 실제적인 현실이다. 언젠가는 이러한 현실을 경험해봤으면 한다. 슈퍼의식이 발동된 상태에서는 여성에게 정말 당당하고, 자신감이 넘치고, 매력적이고, 유쾌하고, 즐겁고 재미있게 대화를 나누게 될 것이다. 그리고 그 모든 것이 거짓말처럼 자동적으로 이루어질 것이다. 심지어 본인이 무슨 말을 했는지에 대해서도 잘 기억하지 못할 것이다. 다만 자신의 기분이 엄청나게 좋았고 스릴이 넘쳤다는 사실만 인지하는 상태일 것이다.

내츄럴들은 이러한 '풍족한 내적인 자원'을 굉장히 쉽고 빠르게 접속하여 사용하는것처럼 느껴진다. 항상 그들은 높은 수준의 사회적인 관성(social momentum)을 유지하며 계속적으로 더 높은 수준의 에너지레벨과 집단의 역동성(social dynamics)을 만들어냄은 물론이고, 다양하고 깊이가 있는 감정의 교감(vibing)을 나누는 것을 확인할 수가 있다. 이러한 상태에 빠지게 되면 사람들과 함께 하는 인간관계나 이성관계가 굉장히 큰 즐거움과 삶의 기쁨, 그리고 행복으로 다가올 수밖에 없다고 믿는다. 그러한 성취를 누군가가 해주기를 바라는 것이 아니라, 이 모든 '가치'들을 나 자신으로부터 시작할 수가 있다면 그러한 사람을 굉장히 훌륭한 '내츄럴(natural)'이라고 칭할수 있을 것이다. 이러한 이유 때문에 내츄럴(natural)들에게 있어서 여성과의 소통은 '즐거움'으로만 인지가 될 가능성이 매우 크다. 심지어 여성이 큰 반응을 하지 않는다고 할지라도 '반응'할 수밖에 없는 '리더십'이나 '자신감'이나 '주도성' 등을 발휘하게 될 수도 있다. 더불어 이 과정에서 여성의 내면에 더 큰 역동(에너지)과 다양한 감정을 불러일으킬 것이다.

이러한 '몰입' 혹은 '현존' 과정에서 굉장히 중요한 개념 중 하나가 바로 내츄럴들은 이러한 과정 속에서 '결과에 대한 집착'이 크지 않다는 것이다. 물론 '결과'를 바라기는 한다. 그 집착이 크지 않다는 것이다. 왜냐하면 이미 그 행동과정에 몰입을 하여 역동성을 만들 때에 그 누구보다도 자기 자신에게 가장 큰 영향을 끼치기 때문이다.

실제로 집단 역동을 만들어내려고 할 때에 그 누구보다도 자기 자신을 즐겁게 해야만 한다. 그리고 어떤 결과가 나타나지 않는다고 할지라도 어느 정도의 만족감을 느낄 수가 있을 것이다.

'현존'은 생각에 잠겨있는 상태가 아니라, 그 순간을 온전히 즐기는 상태일 가능성이 매우 높다. 그렇기 때문에 그 상황에서 다른 사람을 즐겁게는 못하더라도 스스로는 즐겁게 할 것이다. 최선을 다했다면 결과가 나타나지 않더라도 항상 자기 자신을 더욱 존중할 수 있다는 사실을 의미한다. 이러한 방향성 속에서 행동하는 법을 배운다면 더욱 풍족한 결과가 나오는 것은 물론이고, 과정을 즐기는 법 그리고 '자기자신을 존중하고 사랑하는 법'까지도 배울수가 있게 될 것이다.

내츄럴들이 추구하는 것이 자신의 감정으로 타인에게 영향을 끼치는 것이지 어떠한 상황이나 반응을 통해서 자신이 영향을 먼저 받으려고 하는 것이 아니다. 먼저 '가치'를 전달하기 위해서 자신의 내면의 힘과 현재라는 순간에 몰입하는 것이다. 랄프 왈도 에머슨은, "우리의 가장 큰 무기 두 가지는 자기 자신과 지금 이 순간이다."라고 이야기를 했다. 어쩌면 이 두 가지가 우리에게 허락된 유일한 무기일수도 있는데 대부분의 사람들은 '자기자신' 그리고 '현재'라는 시간을 제대로 활용하지도 못하면서 외부적인 자신감만을 바라는 경우가 굉장히 비일비재하게 발생하고 있다.

심리학자들은 잘생긴 사람의 얼굴을 보는 행위는 기분 좋은 감정과 연결이 되어 있다고 말한다. '가치'란 생존에 도움이 되는 모든 것, 혹은 우리의 기분을 좋게 만들어주는 모든 것이라고 말한다.

그렇기 때문에 잘생긴 남성들의 얼굴, 혹은 아름다운 여성의 얼굴을 보는 것만으로도 기분 좋은 감정에 연결될 수가 있는 것이다. 그리고 쉽게 매력을 느낄 수도 있다.

나는 성형수술을 하지는 않았지만 외모적인 개선과 생활의 편안함을 위해서 '치아교정'과 '라섹수술'을 하였다. 그리고 이것은 외적으로도 어느 정도 도움이 되었다고 생각을 한다.

매력을 계발하는 데에 있어서 '믿음(faith)'만큼 중요한 것은 없고, 성형을 한다고 해서 갑자기 스스로에 대한 믿음이 변화하는 것은 아니다. 웃긴 사실 중 하나는 내 자신에 대해 가장 큰 믿음을 갖고 있었을 때에 나는 교정기를 낀 상태였고, 교정기를 낀 상태에서 가장 많은 여성들을 만날 수가 있었다.

아무리 잘생긴 남성이 외모를 통해서 자신의 외모를 바라보는 여성의 기분을 좋게 만든다고 할지라도 그 여성의 감정 상태를 '일관성'있게 유지할 수가 없다면 결국 '낮은 가치의 남성'으로 전락하게 될 것이 뻔하기 때문이다.

책의 초반부에서 언급했던 것처럼 '감정은 전염성'을 갖는다. 지금 이 순간을 즐기는 기분 좋은 남성과 함께 하는 것만으로도 '기분 좋은 감정상태'를 일관성 있게 계속해서 유지할 수가 있다. 결국 매력적인 남성이 된다는 것은 '외모적인 부분'을 개선하는 것일 수도 있지만 그 무엇보다도 일관성 있는 안정적인 감정 상태와 다양하고 깊이 있는 감정을 공유할 수 있는 남성이 되는 것이 중요하다고 생각을 한다.

더불어 스스로에 대한 내면의 '믿음'을 키우지 않고서, '피상적인 가치'를 아무리 키워낸다고 할지라도 결국 그것은 스스로를 '현존 상태'에서 멀어지게 만들 것이고 '우월감'이나 '열등감'에 빠져 고통스러운 생각의 감옥에 거주하게 될 수밖에 없을 것이다.

너무나도 많은 남성들이 '대응적인 사회전략'을 통해 자신감을 외부로부터 만들어내려고 한다. 하지만 외부적인 자신감이나 믿음은 쉽게 무너진다. 그것은 마치 자기 자신에 대한 정체성을 모래위에 쌓는 것과 다를 바가 없다.

내츄럴이라면 '부자와 당나귀'의 이야기로부터 교훈을 얻어야만 한다. 무엇을 해도 욕을 먹을 수밖에 없는 시대에 우리는 살아가고 있다. 그렇기 때문에 자신이 믿는 것을 행해야한다. 근데 그 '믿음'이라는 것은 결국 자신이 선택하는 것이다. 마치 종교처럼 말이다. 자신이 선택을 하지 않는다면 어쩔 수 없이 '사회의 선택을 강요'받게 되어 있을 것이고, 사회가 주어주는 믿음은 모두의 이익을 위한 것이기 때문에 딱히 자신의 '라이프스타일(lifestyle)'이나 '행복'에는 큰 도움이 되지 못한다. 더욱이 우리나라의 행복지수가 OECD 가입국

가중 최악을 유지하는 가운데에 사회의 기준과 믿음대로 살아간다는 것은 너무나도 멍청한 짓이고, 왜 자살률도 1등을 할 수밖에 없는지를 설명하고 있다.

항상 부족하고 모자란 사람이 될 것인가? 아니면 법적인 테두리와 사회적 의무 및 책임 안에서 자신이 좋아하고 스스로를 행복하게 만드는 일을 추구하며 살아갈 것인가? 그것은 곧 본인의 선택이다. 그 누구를 원망해서도 안 되고, 그 누구를 탓할 수도 없다. 심지어 자기 자신을 탓해서도 안 된다. 왜냐하면 자책할 시간이 있다면 지금 당장 자신이 바라는 삶을 선택하고 그렇게 살아가면 된다. 인생에서 원하는 것이 있다면 자신의 모든 젊음과 열정을 받쳐 어떻게 해서라도 그 목표를 달성하기 위해서 노력을 해야만 할 것이다.

"내 자신이라도 날 믿지 않는다면 그 누가 날 믿어준단 말인가? 나는 나 스스로를 믿기로 선택하고 결심하였다."

타인의 시선을 의식하거나, 혹은 그들의 반응을 통제하려는 마음을 버려라. 그 무엇보다도 자기 자신을 통제하라. 현존하고, 자신의 삶을 즐겨라. 자신을 모험적인 상황에 집어넣고 그 순간에 최선을 다해라. 자신이 할 수 있는 모든 것을 다해라. 더욱 남자답게 행동하고, YMC에서 교육을 하는 내적가치(과감성, 즉흥성, 즐거움, 확고함, 남성성, 침착함, 여유, 일관성 등)들을 키워내라. 최고의 자기 자신이 되라. 무조건적으로 스스로를 사랑하라.

다시 한 번 말하지만 기분 좋은 감정이나 부정적인 감정은 모두 전염성을 갖는다. 감정이 강한 사람들은 항상 영향력과 존재감을 발휘한다. 다만 우리를 기분 좋게 만드는 것이 '가치'가 높다는 사실을 기억하라.

"내츄럴의 가장 큰 기본기는 나 자신을 먼저 통제하고, 지금 이 순간에 충실히 최선을 다함을 항상 기억하길 바란다."

찌질한 남성들은 '안전지대'에 빠져 생각에 잠기며 연속적인 합리화와 정당화를 멈추지를 못하는 경향이 보인다. 당연히 현재를 사는 것이 아니라 미래나 과거를 살아가고, 외부의 자극 없이는 절대 즐거움을 내면에서부터 끌어올 것이라는 생각조차 하지 못한다. 항상 대응적으로 이 세상을 해석한다. 그렇기에 항상 자신의 삶을 구원해줄 구원자를 바라면서 살아간다.

　로또 1등이 되길 기대하는가? 구원자가 자신의 삶을 구원해주기를 기대하는가? 믿기 어렵겠지만 나는 이러한 기대를 하지 않고 살아간다. 로또 1등이 되는 꿈이나 기대를 단 한 번도 해본 적이 없다. 왜냐하면 로또 1등이 당첨이 되지 않는다고 할지라도 내 능력으로 그 이상의 값어치를 만들어 낼 수 있다는 확고한 신념과 믿음 때문이다. 어쩌면 로또 1등에 당첨이 되는 것은 더 쉬운 길 일수도 있다. 하지만 나는 믿는다. 내가 과정속의 깨달음을 통해 진실로 스스로가 부자라는 믿음 없이는 로또 1등에 당첨이 되더라도 다시 원상복귀가 될 것이라는 사실이다.

　"로또 1등 당첨자의 99%가 원래의 경제수준으로 돌아간다고 한다." 물론 이 사실에 대한 증거를 눈으로 직접 확인한다고 할지라도 대부분의 사람들은 본질적인 변화를 꾀하기 보다는 그저 피상적인 결과물만을 바랄뿐이겠지만 말이다. 그렇게 사람들은 현재가 아닌 미래와 과거를 살아간다.

■ 제 10장: 즐거움, "Just have fun!"

현존을 이해하게 되면서 나는 삶의 즐거움을 깨닫게 되었다. 누구나 지금 당장 즐거울 수가 있다. 물론 아무 행동도 하지 않고서 그러한 즐거움에 이룰 수 있는 방법은 없다. 2002년 월드컵을 경험해본 사람이라면 누구나 자신이 축구경기를 뛰지 않고서도 얼마나 즐거울 수 있는지를 느낄 수 있었을 것이다. 혹은 콘서트 장에 가보면 그 열기와 열정에 빠져들어 엄청난 즐거움을 누리게 될 것이다.

어떤 사람들은 그러한 '즐거움'을 누리기 위해서 계속적으로 콘서트 장을 찾아다니기도 하고, 혹은 즐거움을 느낄 수 있는 '감정적인 자극'을 지속적으로 찾아 나서게 된다.

많은 사람들이 본인의 삶에서 '즐거움'이라는 내적가치가 존재하지 못한다고 말하는 이유 중 하나는, "내 삶은 너무나도 우울하다."라는 것이다.

이러한 '자기연민', 혹은 '부정적인 신념'은 계속해서 강화가 된다. 아무리 좋은 감정적인 자극이나 실제적인 현실과 증거들이 나타난다고 할지라도 오랫동안 '자기연민과'과 '부정적인 신념'을 습관화시킨 사람들은 자신이 보고 싶은 것만을 바라보게 된다.

그렇기 때문에 '즐거움'이라는 내적가치는 마치 잃어버린 '자신감', '확고함', '일관성', '즉흥성', '풍족함', '침착함', '여유', '과감성' 등과 같은 가치들처럼 제대로 느끼지 못하고 인생을 낭비하게 되는 것이다.

그렇게 우리는 자신의 감정을 표현하지도 못하고, 스스로의 기분을 제대로 통제하지도 못하는 상태에 빠져버리게 된다.

'프리미엄 코칭'을 하면서 인생을 살면서 가장 기분이 좋은 하루를 보냈다는 이야기를 들을 때면 가끔 기분이 좋기도 하면서 굉장히 안타까운 마음도 드는 것이 사실이다. 그만큼 우리는 '즐거움'이나 '재미'를 상실한 시대에 살아가고 있다.

격정적으로 자신의 감정을 표출하고 표현하며 자신의 최대 즐거움을 끌어내는 것은 어디에서든지 가능하다. '아무 이유 없이도' 가능하다. 어떤 이유와 증거가 있어야만 자신의 내면에 잠재된 '즐거움'을 발견하는 것은 아니다. 그 냥 지금 이 순간을 즐기는 마음으로 최선을 다해서 자신의 즐거움을 발휘한다 면 그 즐거움은 수면위로 드러나게 될 것이다.

그리고 그 즐거움에 대한 일관성을 목숨을 걸고 사수하라. 절대로 그 감정 상태를 절대로 포기하지 마라. 그 누구도 당신의 감정 상태에 해를 가할 수는 없다. 마치 오늘 당신이 태어난 것처럼 기뻐하고 샴페인을 터뜨려라. 그 즐거 움과 재미를 한번 누려봐라. 그리고 그러한 즐거움을 느낄 수 있음에 진심으 로 감사를 하고 YMC 카페에 오늘 '아무 이유 없이' 누릴 수 있었던 즐거움에 대해 감사하는 글을 작성해봐라.

즐거움이란 내적가치를 그 어떠한 외부적인 자극 없이도 이루어 낼 수 있 다는 사실을 이해하게 된다면 우리의 삶이 온전히 우리의 통제와 선택이라는 사실을 더욱 깊이 있게 느끼게 될 것이다.

■ 제 11장: "Be Real, and 'still' Attractive!"

진짜가 되라. 그것은 간단하게 말해서는 '3초의 법칙(the three second rule)'을 지키라는 것이다. 그냥 자기 자신으로서 이성에게 다가가라. 여자를 유혹하는 것에 성공을 하든지 간에 실패를 하든지 간에 자기 자신으로서 하라.

다만 한순간 한순간에 영혼을 담아 최선을 다해라. 최선을 다하기 위해서 자신의 내적가치를 극대화시켜라. 여성에게 3초 만에 접근한 그 순간에 자신의 퍼포먼스(performance)를 극대화 시켜라. 과감성을 실현하고, 즉흥성을 발휘하고, 확고함을 유지하고, 일관성을 나타내고, 그 상황을 온전히 수용하고 즐기고, 남자답게 행하고, 침착함과 여유를 가져라.

"그렇게 할 수만 있다면 자기 자신이 됨과 동시에 자신의 매력적인 최고의 모습을 끌어낼수가 있을 것이다." 일단 내츄럴이 되기위해서는 기존의 모든 루틴과 멘트를 버려야만 한다. 다시 한 번 말하지만 루틴과 멘트를 사용해서 유혹할 수 있는 여자는 그것을 사용하지 않아도 충분히 유혹해낼 수 있는 여자이다. 더불어 그러한 잡기술을 사용해서 여성을 유혹한다고 할지라도 진정한 자기자신으로서 여성을 유혹해냈다는 생각이 들지 않을 것이다. 그렇기 때문에 내면의 일관성이 깨진 상태로 여자를 만나는 것을 추천하고 싶지 않다.

나는 3년 동안 루틴, 멘트, 마술에 매료되어 있었다. 그리고 그러한 잡기술을 사용해야만 여자를 유혹할 수 있을 것이라는 '착각'속에 시간을 낭비하게 되었다. 시간이 지나면 지날수록 이성관계에서 성공적인 결과가 나타난다고 할지라도 나에게 필요한 것은 더 많은 '루틴'과 더 많은 '멘트'와 더 많은 '마술'이었다.

그러한 잡기술에 대한 집착이 강해졌을 때에 나는 한가지의 깨달음을 얻게 되었다. 위에서도 계속해서 언급했지만 내가 하고 있는 행위는 지속적으로 강화가 된다는 것이었다.

이러한 방향성속에서 20년이 지나면 찌질한 내면의 마술과 멘트로 무장한 남자가 되어버릴 것 같다는 '생각'이 나를 찾아오게 되었다. 그 순간부터 나는 마술을 버리기로 마음을 먹었다.

이 시기에 여자를 만나러 나갈 때에 마술카드 없이는 항상 자신감이 없었고, 마술카드를 들고나가면 상황적인 자신감이 생겼었다. 근데 더 이상 나는 카드를 들고 나가지 않았다. 홍대에 '어프로치'를 하러 602번 버스를 타고 가는 길에 굉장히 큰 설렘을 느꼈다. 교회에서 말하는 '성령충만'이란 이런 느낌이 아닐까란 생각을 하게 되었다.

버스를 타고 그 어떠한 잡기술없이 여자에게 나 자신 있는 그대로 100% 내츄럴로서 다가간다는 생각을 하니 너무나도 설렜다. 내가 너무 찌질하기 때문에 여자에게 거절을 당하고 어떤 결과를 나타내지 않는다고 할지라도 앞으로의 내 자신이 기대가 되었다.

벌써 7~8년 전이지만 100% 내츄럴이 되기로 결심한 그 순간의 감정은 지금까지도 잊히지가 않는다. 그렇게 홍대에 도착을 해서 나는 지난 3년 동안 갈고 닦은 모든 기술, 멘트, 루틴, 마술을 내려놓고 나 자신의 있는 그대로 여성에게 접근을 하였다.

매력적인 여성을 발견했고 지체 없이 3초 만에 그녀에게 접근을 했다. 그리고 그녀에게 말을 이어나갔다. "저기요. 잠깐만요."라고 말을 걸었다. 그 순간에 상대 여성을 '나'에게 온전히 집중시키기 위해서는 최고의 내 자신이 되야 한다는 생각이 들었다. 그래서 내가 먼저 그녀에게 온전히 집중을 했다.

떨리는 목소리로 그녀에게 말을 이어나갔다. 나는 그녀에게 내가 말을 건 명분을 이야기를 하고, 그녀에게 당당하게 내가 바라는 것을 '요구'했다. 준비된 멘트가 아닌 그냥 그 순간에 나오는 대로 '즉흥적으로' 어프로치를 한 첫 경험이었다. 나는 굉장히 흥분되었고, 연속적으로 계속해서 어프로치를 이어나갔다. 약 3달동안 '성령충만'한 감정상태가 지속되었다. 이 세상의 모든 것을 얻은 것 같은 기분이 들었고, 3년 동안의 감옥생활에서 해방된 것 같은 기분이 들었다. 진심으로 지옥 같은 2년 동안의 군대 생활후 전역을 할 때보다도 더 큰 기쁨 이였고, 그 기쁨은 진심으로 3달 동안 지속되었다.

100% 내츄럴로 모든 것을 즉흥성, 임기응변능력, 상황대처능력, 위기극복 능력을 발휘해서 '이성관계의 성공'을 이루어내자. 기존에 존재하던 '내면의 불합당성'과 같은 기분이나, '내면의 불일치성'과 같은 기분이 사라지게 되었다. 즉, 여자가 날 좋아하는 게 진짜 내 모습 그대로를 좋아하는 것 같은 기분이 들었고, 더 이상 아무리 예쁜 여자를 만난다고 할지라도 그 어떠한 멘트, 루틴, 마술을 준비하지 않게 되었다. 그냥 있는 나 자신의 모습 그대로 여성을 만났고, 매번 즉흥적으로 최선을 다해서 할 수 있는 이야기들을 했다. 점점 더 생각하지 않고 말을 하는 능력이 강화되었고 얼마 지나지 않아 다시는 여자 앞에서 '고민'이나 '생각'에 잠기지 않게 되었다.

정말 모든 사람들에게 내가 경험한 이 기쁜 소식(good news)을 전파하고 싶었고, 사람들에게 이 이야기를 하기 시작했다.

물론 사람들은 100% 내츄럴이 되라는 나의 말에, "그럼 여자앞에서 찌질해지라는 것이냐?"라는 식으로 화를 내는 경우가 대부분 이였지만 말이다. 그럼에도 불구하고 지금까지도 나는 내츄럴이 되는 것을 고집하고 있고, 그러한 것을 가르치기 위해 당시 최고의 PUA 들과 함께 하던 The Natural Project 를 탈퇴하고 YMC를 설립하게 되었다.

100% 내츄럴이 되어라. 영어로 표현하기를, "Be Real!"이라고 말하고 싶다. 진정한 자기 자신이 되어라. 굳이 여성에게 할 말을 고민하거나 준비할 필요는 없다. 여자에게 '인정' 받으려고 애쓰는 행위를 멈춰라. 애쓰지 않아도 좋다. 다만 최고의 자기 자신이 되어라. 최악의 자신이 되어서는 안 될 것이다. 이 부분을 유념하길 바란다. 그것을 영어로, "Be Attractive!"라고 표현하고 싶다.

YMC 의 구호는 "Be Real & Attractive!" 이다.

이 책을 읽은 사람이라면, 혹은 YMC 회원이라면 무조건적으로 '100% 내츄럴'이 되야 하고 그렇게 접근한 상태에서 '최고의 자기자신'이 되어야만 할 것이다. 나는 그 길을 사람들에게 교육하고 함께 훈련을 해왔다.

그 결과는 놀라웠다. 이러한 결과는 나의 삶에 감동을 주었다. 점점 더 많은 사람들이 나를 찾아와서 내츄럴에 대해 배우기를 시작했고, 벌써 이성관계 전문가이자 코치로서 사람들을 교육해온 것이 2017년 현재 횟수로 8년째를 맞이하게 되었다.

더불어 '100% 내츄럴(Be Real & Attractive)'이 되자 내면적인 정체성과 자아개념도 영향을 받기 시작하였다. 마술을 할 때에는 가면을 쓰고 사람들을 대하고 여자가 날 좋아해도 '마술을 하는 나'를 좋아하는 기분을 느꼈었다면, 100% 내츄럴이 되기로 결심한 이후에는 여성들이 '가면을 벗은 나'를 좋아하는 것 같은 기분을 느끼게 되었다. 그동안 변하지 않았던 내면의 찌질함이 개선이 되고 변화함을 체험하고 느끼게 되었다. 그리고 '코칭'을 통해 많은 사람들의 내면도 이와 같이 변화시키게 되었다.

본질적인 변화가 발생하는 가장 큰 계기이자 '원인'이라 할 수 있는 것이 바로 이 'Be Real & Attractive!'에 담긴 의미인 것이다. 이를 통해 깊은 정체성수준의 변화(deep identity level change)을 경험하게 된 것이다.

< Natural vs AFC Review >

● 100% 내츄럴이 되자. 잡기술에 연연하지 않는다.

● 잡기술 없이도 최고의 매력적인 내 자신을 매 순간 끌어낼 수가 있다.

● 여자에게 할 말을 미리 준비하거나 고민하지 않아도 좋다. 이미 충분하다.

● 임기응변을 발휘하다보면 계속해서 그 행위가 강화된다. 지금부터 당장 '즉흥성'을 키울 수 있는 상황에 자신을 몰아넣어라. 3초안에 어프로치를 하고 최선을 다해서 100% 자기 자신으로서 여자를 유혹해라.

● "Be Attractive!", 영향 받기보다는 영향을 주는 사람이 되어라. 내적인 가치를 먼저 전달하는 사람이 되자. 우리의 가치는 후불일 뿐이다. 외부에서 자신감을 먼저 얻으려는 Taker 가 되지 말고, 먼저 가치를 전달하는 Value Giver가 되라. 언제든지 'Offering Value'에 집중하라. 물론 그 가치가 존재감과 영향력을 갖는다면 비싼 값이 매겨질 수밖에 없을 것이다.

● '즐거움'을 발휘하라. 함께하기에 좋은 사람이 되라. 최고의 자기 자신이 되라. 즐거움은 내면에서부터 오는 것이지 외부의 자극으로만 얻어지는 것이 아니다. 당신의 '내적가치'를 통해 여성이 나와 함께할 때에 기분이 좋아질 수밖에 없게 만들어라. 자신이 될 수 있는 최고의 남자가 되어라. 더 이상 그 어떠한 핑계도 입이나 생각에 담지 마라.

● 벌거벗은 느낌으로 다가가라. 100% 내츄럴이 되는 것은 시작은 그런 기분일 것이다. 3초안에 다가가라. 고민하지마라. 생각하지마라. 준비하지 마라. 그냥 자기 자신을 믿고 "뭐라도 말하겠지."라고 말하며 여성에게 접근

하라. 그리고 정말 최선을 다해 행동하라. 한순간에 자신이 할 수 있는 모든 것을 발휘하라. 3초만이라도 최고로 매력적인 자신을 끌어내라. 그 3초가 곧 30초, 30분, 30시간, 그리고 자신의 삶 그 자체가 될 것이다. 벌거벗은 느낌으로 여성에게 다가가고도 여전히 매력적인 존재가 되어라. "Be Real & 'still' Attractive!" 더불어 이런 느낌으로 다가가는 남성은 '자기방어'를 하지 않는 느낌을 전달하기 때문에 엄청난 강인함을 동시에 전달하게 될 것이다. "생각으로 애쓰지 말고 그저 영혼을 담아 최선으로 행동하라."

◎ 반면에 찌질한 남성들을 타인을 흉내 내거나 따라 하기 바쁘다. 일등인 자기 자신이 될 수 있는데 다른 사람을 따라 해서 이등인생을 살려고 한다. 남을 따라 해서 성공을 한다고 할지라도 '가면'을 쓴 느낌 때문에 내적인 일관성이 깨지게 된다.

◎ 찌질한 남성들은 항상 기회를 대응적으로 기다린다. 항상 외부에서 좋은 자극만을 구한다. 절대로 자신이 그 기회들을 먼저 만들 생각을 하지 않는다. 주도적이기 보다는 굉장히 대응적이고 쉽게 타인에게 영향을 받는다.

◎ 찌질한 남성들은 '매력적인 남성이라면 당연한 현실'인 주목을 받는 것을 굉장히 불편해한다. 항상 낮은 수준의 역동성과 에너지레벨을 유지한다. 목소리가 작기 때문에 이 남성들이 말하는 것을 알아듣는 것 자체가 굉장히 어렵고 불편하다.

◎ 찌질한 남성들은 모든 것을 준비하려고하고 계속해서 생각에 잠긴다.

◎ 찌질한 남성들은 자기 자신으로서는 충분하지 않다는 확고하고 일관성 있는 믿음을 갖고 있다. 경우에 따라서는 이러한 자신의 확고한 '믿음'에 대

해 절대로 ´한 치의 양보도 하지 않고 포기하지 않는 모습을 보인다. 사이비종교 수준보다도 더한 믿음을 갖고 있다. 그리고 그 믿음에 대한 증거를 찾으며 시간을 허비한다. "그 믿음에 대한 확고함과 일관성을 좋은 방향으로 사용하면 좋으련만..."

◎ 찌질한 남성들은 자신이 예상하지 못한 상황이 발생하게 되면 당황을 하고 모든 통제력을 상실하게 된다. '인정' 받으려는 마음이 강해지고, 자책을 하거나 그 상황에 대해 계속적인 합리화와 정당화를 하면서 자신이 선하다는 것을 입증하려고 '생각으로서 애쓰는 상태'에 빠지게 된다.

◎ 찌질한 남성들은 자기 자신이 되어 최선을 다한다는 느낌을 이해하지 못한다. 벌거벗은 모습으로 다가가면 자신의 찌질한 모습이 들킨다고만 생각을 한다. 자신의 진짜 모습이 찌질한 모습임을 믿고 살아간다는 것이다. 안에 있는대로 흘러나오기 때문에 결국 그 찌질한 모습을 여성에게 들키는 순간 그 상황을 회피하고 모면하려고 하거나 '애원'을 하는 상태에 빠지게 된다.

진짜 자기자신이 되고도 여전히 매력적인 사람이 되어야만 한다. 그 길이 내츄럴의 길이다. 100% 내츄럴이 되고 싶다면 '멘트', '기술', '루틴', '마술'을 모두 포기해라. 아무리 많은 노력과 투자를 했다고 할지라도 그냥 내려놓아라. 집착을 버려라.

이제부터는 그 순간에 떠오르는 말을 즉흥적으로 내뱉는 '행동'만을 추구해야한다. 그래서 그 '행동'만이 강화되고 '습관화'가 되어야 할 것이다. 더불어 한순간 한순간에 최선을 다해라. 진짜 자기 자신이 되고도 매력적인 사람이 되기 위해서는 자신의 모든 비언어를 통제함은 물론이고 그러한 능력을 극대화시켜야만 한다. 그래야 자신에게 허락된 유일한 무기라 할 수 있는 '자기자신'과 '지금 이 순간'에 대한 완벽한 통제를 얻게 되는 것이다.

다른 사람을 흉내 내서 매력적인 척을 하는 수준에서, 내가 하는 모든 말 그 자체가 영향력이 있고 존재감을 뿜어내며 사람들에게 신뢰를 얻어내고 마음을 끌어당기는 힘의 근원이 되게 하라.

미리 머릿속에서 여성과 대화하는 것을 계획하지 마라. 그냥 매 순간 닥치는 상황을 마주하고 그 순간에 '즉흥성'과 '과감성'을 발휘하여 최선을 선택을 하기 위해 노력하라. 처음에는 어설플지 모르겠지만 시간이 지나면 지날수록 '즉흥성'과 '과감성'이 강화될수록 자기자신에 대한 신뢰와 확신이 점점 커지는 것을 느낄 수가 있을 것이다.

준비하지 않고 여성에게 어프로치를 하고도 그 순간에 유연하게 상황대처를 하고 예상하지 못한 상황을 마주했을 때도 물 흐르듯이 위기극복을 해낼 수가 있어야만 한다. 준비를 한다는 것은 이러한 '즉흥성'을 키울 기회를 저버리는 것이다. 절대로 준비를 하지 말고 그냥 모든 것을 즉흥적으로 행하라. 다만 무엇을 먹을지, 어디를 갈지, 뭘 입을지, 어디에 앉을지, 무슨 이야기를 할지를 빠르게 결정하고 '리드'하는 습관을 가져야만 한다. 일단 먼저 남자가 결정을 해주고 정한 후에 여성에게 의견을 물어보는 것만큼 좋은 리드는 없다.

생각에 잠기는 것은 도움이 되지 않는다. 현재라는 순간에 온전히 깨어있어라. 생각 속으로 들어갈 시간에 뭐라도 해라. 그 순간에 집중을 해라. 생각에 빠지지 말고 상대방에게 집중하고, 지금 이 순간에 집중하고 할 수 있는 것을 빠르게 생각하고 행동하라.

더불어 항상 내가 먼저 안정적인 감정 상태를 유지하면서 편안한 감정과 그 순간을 즐기는 감정 상태에 빠져야만 한다. 그래야 여자도 나와 함께 할 때에 그러한 감정 상태에 영향을 받아 '안정감', '편안함', '즐거움'과 같은 안정적인 감정상태속에서 함께 할 수가 있다.

심호흡을 하면서 자신이 할 수 있는 모든 수단과 방법을 동원해서 '현존'하고 그 순간에 깨어있으며 상대방과 나 자신 그리고 그 순간에 몰입을 하면서 관계를 더욱 역동적인 흐름으로 천천히 끌고 나가야만 할 것이다. 이것은 이성관계에 대한 남성들의 책임이라 할 수가 있다.

아마 자꾸 다른 생각을 하고 싶을 수도 있고, 저항감의 감정 상태에 빠져 긴장감, 두려움, 회피하고 싶은 욕구, 구원자를 바라는 마음, 애원의 상태 등 쉬운 길로 가고 싶다는 생각이 드는 순간이 있을 것이다. 이 순간에 '현존'을 하는 것은 그 누가 대신 해줄수있는 것이 아니다.

훌륭한 코치라면 더더욱 이러한 상태에서 빠져나와 그 '최상의 상태'로 들어가는 것을 혼자서 할수있도록 내버려두어야 한다는 생각을 한다. 혼자서 할 수 있어야만 한다. 자신이 스스로의 삶을 책임지고, 스스로의 삶에 대한 구원자가 되어야만 한다.

자기자신의 삶을 책임지고, 리드하고, 통제하는 것이 우선이다. 너무나 많은 사람들이 자신을 통제하지도 못하면서도 외부의 반응이나 상황만을 통제하려고 하는 경우를 많이 목격하게 된다. 그것은 대응적인 사회적 전략이다. 우리가 추구하는 것은 그 무엇보다도 나 자신을 먼저 책임지고 통제하는 것이다.

그 안에서 우리는 '존재감'을 발휘하게 될것이고, '영향력'을 내뿜게 될 것이다. 주도적인 사회적 전략을 통해서 자신이 될 수 있는 '최고의 나'를 경험하라.

■ 제 12장: 항상성(homeostasis)과 '최우선 인생의 가치'

사람은 변화를 싫어한다. '항상성'이라는 본능 때문이다. 물론 이러한 항상성 때문에 우리는 적절한 체온과 혈압을 유지하면서 필요한 생체기능을 작동시키며 살아가게 된다. 항상성에 문제가 생기면 건강의 적신호가 발생할 수밖에 없다.

이러한 항상성은 생체기능에만 작동을 하는 것이 아니라 우리가 '변화'를 마주할 때에도 작동을 한다. 위에서 언급했던 '안전지대'라는 것이 생기는 이유이기도 하다.

즉, 내츄럴이 되고 싶은 마음이 있다면 그 반대의 마음도 동시에 생긴다는 것이다. 하고 싶은 마음도 있고, 애매하게 하기 싫은 마음도 생기게 된다.

리더십강사를 하던 시절에 가장 많이 들었던 이야기중 한 가지는 바로, "사람은 진짜로 변하지 않는다." 이다. 모순적으로 사람을 변화시켜야하는 책임을 가진 리더십강사들이 하던 말이었다. 그만큼 사람이 변화하는 것은 쉽지 않다는 것이다.

"사람은 스스로 변화하기를 바라지 않는다면 절대로 변하지 않는다."

그렇다면 과연 무엇이 우리의 삶을 변화시키는가? 우리는 사실 무엇이든지 선택하고 자유롭게 인생을 살아갈 수 있다. 그 누구도 우리의 이러한 자유와 권리를 막을 수는 없을 것이다. 다만 타인의 자유와 권리를 인정하는 내에서 자신의 자유와 권리를 추구해야할 뿐이다.

이 책에는 다양한 인생에 대한 가치관과 기준, 그리고 철학이 담겨있다. 사람은 자신의 삶에서 추구하고 싶은 인생의 최우선적 가치에 따라 삶이 변하게 되어있다. '돈'이 전부라고 생각을 하는 사람들은 '돈'을 추구하며 살아가게 될 것이고, '건강'이 전부라고 생각을 하는 사람들은 '건강'에 모든 것을 쏟아부을것이 뻔하다. 마지막으로 '인간관계' 혹은 '이성관계'가 삶의 전부라고 생각을 하는 사람들은 어떤 수를 써서라도 그 안에서의 성공과 행복을 누리며 살아가게 될 것이다.

결국 인생은 자신의 설계대로 흘러가는 것이고, 자신이 원하는 방향으로 흘러가게 되어있다. 중요한 것은 어떠한 '가치관'을 갖고 인생을 대하느냐이다. 만약에 '인간관계'가 중요하다고 생각을 하는 사람이라면 자신의 모든 것을 쏟아 부어서라도 그 '인간관계'를 완성해나갈 것이다.

내가 지난 11년 동안 여기까지 올 수 있었던 것은 단 한가지의 '원인'에서부터 시작되었다고 생각을 한다. 나는 그 무엇보다도 내 삶에서 '이성관계'를 가장 최우선적인 가치로 바라보았던 것이다. 그리고 '선택'을 하였고 이에 '집중'을 했을 뿐이다. 모든 것을 쏟아 부었고 모든 투자와 노력 그리고 헌신을 아끼지 않았다. 최고가 되고 싶었다. 그동안의 삶을 되돌아보면 내 스스로 정직하게 자부할 수 있을 정도의 수준에 올라서게 되었다.

만약에 이성관계에서의 성공과 행복을 진실로 바란다면 그 무엇보다도 자신의 삶의 가장 큰 가치관을 '관계'에 초점을 맞춰야만 할 것이다.

나는 한 번의 에프터를 하기 위해서 소중한 나의 시간을 아낌없이 투자하여 '부산'도 '대전'도 '충주'도 다녀왔다. 왜냐하면 나에게는 '돈'보다 '시간'보다 '건강'보다 '관계(relationships)'가 무조건적으로 중요했기 때문이다.

이처럼 자신의 삶의 최우선적 가치관을 어디에 두느냐에 따라서 자신의 삶은 그에 맞춰 변화하게 될 것이다. 삶의 항상성도 이를 억제할 수가 없다.

물론 나는 이성관계에 너무 극단적으로 투자를 하면서 30살에는 '돈'도 없이 가난했고 일주일에 최소 5번씩 3년이라는 기간 동안 클럽에 가서 에너지를 쓰고 밤을 세다보니 건강을 잃고 장기간동안 극심한 두통에 시달리기도 하였다. 내가 너무 극단적이었다는 것은 인정을 한다. 하지만 이 모든 것에 절대 후회는 하지 않는다. 지난 날의 삶을 되돌아보면 나에게는 큰 기쁨과 행복이 가득했기 때문이다. 다만 다른 사람들은 너무 극단적이 되지는 않았으면 한다.

'이성관계에서의 성공과 행복'을 삶의 최우선적 가치에 두기 시작하면 자신에게 다가오는 모든 '항상성'과 '저항감'을 쉽게 마주할 수 있고 극복 해낼 수가 있을 것이다. 왜냐하면 자신에게 그 무엇보다도 이성관계가 중요해지기 때문이다.

더불어 자신이 원하는 가치를 실현하고 있다는 느낌이 들면 '실패적인 상황'속에서도 기쁨을 누릴수가 있을 것이다.

그러니 단순히 '결과'적인 측면만을 강조하거나 바라는 것보다는 '이성관계'에 대한 '철학'과 '가치관'이나 '사상'이 강조되야하는 것은 너무나도 당연한 것이다.

이성관계를 배우기 위해서는 경험을 해봐야하고 그렇기 때문에 여자에게 '돈'을 쓰는 것이 아깝다면 인생의 최우선가치가 '이성관계'가 아니라 '돈'임을 알수가 있다. 마찬가지로 클럽에 가서 여자를 만나는 것이 '건강'에 문제가 될수도 있기 때문에 클럽에 가지 않는다면 사실 여자를 만나는 것보다는 '건강'이 더욱 중요한 인생의 최우선적인 가치인 것이다.

인생은 자신의 선택이다. 어떠한 삶을 살고 싶은가? 만약에 '성공적이고 행복한 이성관계'를 바란다면 그 무엇보다도 이러한 '가치'를 최우선순위에 두고 추구해야만 할 것이다. 그래야만 모든 역경과 어려움을 이겨내고 진실로 '변화'할 수가 있다.

중요하다고 믿는 가치를 추구하는 사람의 '열정'을 막을 수 있는 것은 그 무엇도 없다. 변화하는 것을 막으려고 할지라도 너무나도 맹렬하고 무섭게 변화해 버릴 수도 있을 것이다.

다시 한 번 이야기를 하지만 인생은 본인의 선택이다. 대응적인 감정이나 동기를 기다리지 말고, 주도적으로 자신의 삶을 선택해라. 삶의 목표는 본인이 택하는 것이다. 경험하면 뭔가 깨우치는 것이 있을 것이고 그것은 무조건적으로 앞으로의 삶에 더 큰 도움이 될 수밖에 없다. 선택하라.

■ 제 13장: Energy and Emotion Model

    100% 내츄럴(being real)이 되고 최고의 자기자신(being attractive)이 되는 과정에서 나는 사람들에게 'Energy and Emotion Model'을 제시하게 되었다.

    이것은 현재 '과감성, 일관성, 즉흥성, 즐거움, 확고함, 즐거움, 침착함, 여유 등'과 같은 내적가치로 설명이 되고 'YMC 프리미엄 코칭'을 통해 많은 이들에게 교육을 하고 잇는 컨텐츠이다.

    공식적으로 'Energy and Emotion Model' 이라 해왔지만 강의를 할 때에는 '자아개방훈련'이라고 종종 표현을 하고 있다.

◎ 에너지(Energy), or 역동(Dynamics) 이라는 가치는 집단(group)의 사교 과정을 훌륭하게 완수하는 데에 있어서 필수적인 가치들이다.

◎ 더불어 깊은 개인 간의 교감이 가능하게 하는, '감정의 자극, 재미, 감동'은 감정(Emotion)이라는 가치를 통해 이해할 수가 있다.

    최고의 자기 자신을 끌어내기 위해서는 반드시 이 두 가지의 가치를 실제적인 현장에서 현재라는 시간 속에 구현해 낼 수가 있어야만 한다.

    이 훈련을 통해서 자신 안에 잠재되어진 '존재감'과 '영향력'을 찾아내고 그것을 강화시킨다. 더불어 실전 현장(field)에서는 여성에게 그러한 '존재감'과 '영향력'을 주도적으로 발산하는 것을 훈련하게 된다.

    3초 안에 다가가서 말을 걸고 멍을 때리라는 것이 아니라 'YMC 대화법'과 'Enery & Emotion model'을 통해서 정확하고 명확하게 어떻게 '의식없이' 최고의 자기 자신이 될 수 있는지에 대해서 이야기를 하는 것이다. 즉 100% 내츄럴이 되고, 매력적인 존재가 되는 - Be Real & Attractive -를 설명하기 위해 탄생한 모델이라고 할 수가 있다.

실제적으로 자신이 어떻게 행동하는지를 확인할 수가 있고, 그것을 어떻게 더욱 좋은 방향으로 개선할 수 있는지에 대해서 '행동'과 '경험'을 통해 느끼게 된다. 적절하게 '과감성', '일관성', '즉흥성', '즐거움', '확고함', '남성성', '침착함', 그리고 '여유' 등과 같은 내적 가치들을 발휘하다보면 여성 앞에서 어떻게 하면 최고의 자기 자신을 보이고 여성과 함께 깊은 소통을 할 수 있는지를 이해하게 되는 것이다.

결국 그 끝은 자기 자신에 대한 온전한 통제(self control) 능력이라고 할 수가 있다.

◉ *"ENERGY: 에너지레벨의 중요성"*

에너지레벨의 통제는 반복해서 말을 해도 부족한 적이 없다. 비언어 의사 소통의 50%가 목소리 톤과 크기이다. 근데 적절하게 이러한 톤과 크기를 생각하는 사람들은 없다.

낮은 가치의 찌질한 사람들은 무슨 말을 할지에 대해서는 그렇게 고민하면서 소통에서 50%의 중요도를 자랑하는 목소리의 크기에 대해서는 왜 그렇게 신경을 쓰지 않는지를 모르겠다.

"무슨 말을 할지 모르겠어요." 라고 말하는 사람이 목소리라도 크고 시원 시원하게 말을 한다면 그 사람은 '존경'스러울수가 있다. 하지만 기어들어가는 목소리로 자신감 없이 저런 소리를 하고 있다면 일단 소리를 질러보라고 꼭 시킬 것이다.

찌질한 남성은 사람들의 시선이 주목될 수 있는 사교장소에서 과감하고 자신감이 넘치게 환호성을 지르지 못하는 경우가 많다. 하지만, 내츄럴들은 아주 쉽게 질러버린다. '과감성'이라는 내적가치를 너무나도 쉽게 사용하고, 에너지에 대한 통제가 완벽하게 이루어지는 것이다.

아무리 좋은 멘트를 떠올렸다고 할지라도 '전달력'이 떨어지는 낮은 수준의 에너지레벨에서는 그 멘트가 효과를 보기는 굉장히 어렵다.

차라리 장황한 멘트보다는 간결하고 정확한 의도를 전달하는 이야기를 하는 것이 훨씬 좋다. 물론 적절한 에너지레벨과 그에 대한 일관성을 갖고 해야 할 것이다.

에너지레벨을 통제 할수만 있다면 쉽게 사람들의 주목과 집중을 끌어낼 수가 있다. 관계에서 그 무엇보다도 중요한 것은 '주의끌기'이다. 일단 집중이 되지 않으면 그 어떠한 소통도 시작되지 않는다.

대화 이전에 이미 '집중이 된 상태'에 빠져들어야만 한다. 그렇기 때문에 적절한 에너지레벨과 '주의를 끌어당기는 힘'은 매우 필수적인 요소라고 할 수가 있다.

그렇기 때문에 사교능력, 인간관계, 이성관계를 바라는 사람에게 있어서 가장 중요한 기본기중 하나라고 볼 수 있는 것이 '에너지레벨의 통제'라고 할 수 있는 것이다.

'인간관계'나 '이성관계'를 최우선순위에 두기로 마음을 먹었다면 그 무엇보다도 먼저 익히고 자연스럽게 잘 할 수 있도록 해야만 하는 능력이 '에너지레벨의 통제'라 할 수 있는 것이다.

내츄럴 친구가 주변에 단 한명이라도 있다면 그들이 얼마나 쉽게 다른 사람들을 압도하고 주의와 집중을 끌어당기고 있는지를 알 수가 있을 것이다.

찌질한 남성들은 반대로 어떻게 해서든지 작은 목소리를 유지하고 에너지레벨을 숨기기 위해 노력하는 것처럼까지 보여진다.

에너지를 내지 않고는 절대로 '주목'을 받을수가 없다. 기억하라. 매력적인 남성은 주목받을 수밖에 없다. 매력적인 남성은 주목받는다. 주목받는 것을 두려워하면서 '이성관계'에서의 성공과 행복을 바래서는 안 될 것이다.

내츄럴이 되어간다는 것은 에너지레벨을 자유자재로 통제하면서 그 상황에 어울리는 적절한 에너지레벨을 '절제'와 '발산'을 통해서 표출해내는 것이다.

더불어 이러한 에너지레벨의 완벽한 통제를 통해서 집단역동성(group

dynamics)을 키워 나갈 수가 있다. 집단역동성이라는 것은 두 명 이상의 개인이 모여서 주고받는 '에너지'와 '감정'이라고 보면 된다. 그리고 그러한 에너지가 크면 클수록, 감정이 많으면 많을수록 그 역동은 잠재의식에 '각인'이 되고 오래도록 기억에 남게 된다.

"일단 평상시에서부터 무조건 크게 말해라."

통제고 뭐고 떠나서 일단 무조건 크게 말하는 습관을 가져야만 한다. 그러면 에너지레벨을 자연스럽게 통제하는 법을 배우게 될 것이다.

에너지가 과하면 줄이면 되고, 줄이는 것은 쉽다. 하지만 애초에 크게 말하지 않으면 계속해서 작게만 말하는 것을 습관화된 상태로 살아가게 될 것이다.

어프로치를 하고 절대로 여성으로부터, "뭐라고요? 안 들려요?"라는 말을 들어서는 안 된다.

"모든 것은 100% 내 책임이다."

여성과 의사소통을 할 때에 자신의 말이 제대로 전달이 되지 않는 상황 속에서도 찌질한 남성들은 자신의 멘트가 문제라는 착각을 하는 경우가 너무나도 많다. 자신이 제대로 해내지 못한 '의사소통'을 외부적인 요인에서부터 원인을 찾는 것이다. 그리고 한번 외부적인 요인에서부터 원인을 찾아 그것을 탓하기 시작하면 절대 자신의 인생을 책임지는 태도를 보이지 못하게 된다. 자신의 인생에 책임을 지는 태도를 갖지 않은 사람이 자신의 삶의 주인이라고 보기는 어렵다. 주도적이고 주체적인 삶보다는 대응적인 삶에 빠지게 될 것이다.

남탓을 하는 것도 일종의 습관이고 이러한 잘못된 습관에 빠지게 된다면 모든 원인과 결과가 외부적인 요인이나 다른 사람들의 결정에 달려있기 때문에 항상 노예와 같은 삶을 살 수밖에 없다. 왜냐하면 책임지지 않는다는 것은 자신이 통제할 수 있는 것은 아무것도 없다는 것을 의미하기 때문이다. 통제할 수 있는 것이 전혀 없는 사람은 마치 노예와 같다.

● 지금 이 순간부터는 자신의 모든 행동과 결과에 대해 책임을 지겠다는 태도를 갖길 바란다. 누군가가 나를 '캐리'해주기를 기대하는 것이 아니라, 내가 스스로 나의 삶을 '캐리'해내겠다는 결단을 하라는 것이다. 구원자를 기다리지 말고 내 스스로가 구원자가 되어야만 할 것이다.

더불어 자신의 삶속에서 발생하는 모든 것은 곧 자신의 책임이 될 수밖에 없다. 최소한 어떠한 상황에 대한 '반응'에 대한 통제권이라도 자신의 책임이다. 아무리 억울한 상황이 발생한다고 할지라도 그러한 억울함 속에 빠져서 시간을 낭비할 것인지 아니면 다시 한 번 일어서서 '의미'와 '가치'있는 삶을 살 것인지는 본인에게 달려있다는 것이다. 이것이 대응적인 사람과 주도적인 사람의 가장 큰 차이인데, 대부분의 사람들은 대응적으로 삶을 살아가고 있다.

본인이 책임을 지기 시작하면 자신의 문제점들이 보이기 시작할 것이다. 이것이야말로 인생의 가장 큰 터닝 포인트가 되는 순간이다. 남탓을 하고 있으면 '맹점(blind spot)'이 발생하고 이로 인해서 자신이 무엇을 잘하고 있는지 혹은 못하고 있는지에 대한 현상을 바라볼 수가 없게 된다. 그저 다른 누군가 때문에 안 된다는 것이다. 결국 그것은 자신의 삶의 통제권을 모두 외부로 돌려버리는 것을 의미한다.

대응적인 사람일수록 외부적인 자신감과 화려한 멘트를 쫓을 수밖에 없다. 실제로 이성관계에서 어떤 멘트를 여성에게 던진 이후에 그 멘트가 실패를 하게 되면 그 모든 책임을 외부로 돌리는 것을 목격할 수가 있다. 자신이 잘못한 것은 아무것도 없는데 그 멘트가 잘못되었다는 것이다. 결국 자신이 책임질 것은 아무것도 없다. 하지만 이러한 무책임하고 안일한 태도로 이성관계에 임한다면 무조적으로 실패할 수밖에 없을 것이다.

결국 자신이 스스로를 책임지지 못하고 외부적인 요인에 눈이 돌아가 있는 사람은 결국 "돈이 최고다."라는 생각에 빠지게 된다. 왜냐하면 돈만 있으면 모든 외부적인 요인을 최고의 상태로 만들어내고 유지할 수 있을 것이란 믿음 때문이다. 더불어 자신이 그러한 '돈'이 없음에 또 부모 탓이나 사회 탓을 하고, 금수저를 물고 태어나지 않은 현실에 대해 우울해하며 타인을 원망하며 인생을 망치게 된다. 결국 이렇게 무책임한 사람들을 상대할 때는 그 고집이나 집착을 평생 꺾을 수가 없을 것처럼 느껴지기도 한다. 사회에 대한 분노와 원망을 절대 포기하지 않기 때문이다. 항상 남탓만을 한다는 것은 자신의 모든 권리와 책임을 포기하고 다른 사람이나 사회에게 자신의 삶에 대한 모든 통제를 맡기는 것과 같다. 그런데 그 누구도 내 삶의 성공과 행복을 위해 노력해주지 않는다. 결국 죽을 때까지 다른 사람을 탓하고, 원망하고, 분노에 쌓여서 죽어야한다. 언제까지 그런 무책임한 사람으로 살아갈 것인가?

일 년에 100억의 순수익을 얻는 29살의 재벌 2세가 나에게 수업을 들으러 온 적이 있었다. 그는 일단 돈이 많았다. 그와 함께 생활을 하게 되었는데 옆에서 지켜봐도 그가 사용하는 돈은 한 달에 최소한 3,000만원 정도였다. 혼자서 매주 금, 토 클럽테이블을 최소 100만원씩 내며 잡았고, 생일날에는 하루에 1,000만원 어치의 술을 시키기도 하였다. 평일에는 많게는 일주일에 세 번씩 룸살롱을 다녔고 한번 갈 때마다 혼자서 최소 150만원 이상의 비용을 지불한다고 하였다. 그의 키는 185cm 정도였고 오랫동안 헬스를 해서 멋진 복근과 함께 훌륭한 몸매를 유지하고 있었다. 성형수술도 했기 때문에 외모도 자신이 이루어낼 수 있는 최상의 상태였고, 여자를 만나기전에는 항상 청담동의 비싼 헤어숍에서 머리를 하였다. 옷은 말할 것도 없이 모두 비싼 명품으로 도배가 된 상태였다. 1억짜리의 신상 고급외제차를 소유하고 있었고, 강남의 비싼 오피스텔에서 혼자 살고 있었다. 심지어 미국에서 RSD의 타일러 더든과 줄리안 블랑을 만나 그들로부터 핫시트(hot seat) 교육까지 몇 차례에 걸쳐 받고 온 상태였다. 하지만, 그는 연애에 항상 실패했고 29살의 나이까지 단 한명의 여성만을 만나봤다고 하였다. 그 여자친구에게는 5,000만원짜리 반지를 사서 청혼을 했는데 거절을 당했다고 한다. 그가 거절당할 이유는 그 어디에도 없었다. 그는 완벽한 금수저였고, 사회적으로 완벽한 남성이었다. 그에게는 핑계될 것이 아무것도 없었다. 그 사실이 그를 더욱 힘들게 하였다. 왜냐하면 그는 모든 풍족함속에서도 이성관계에서만큼은 결핍하고 찌질했을 뿐이다.

이성관계에서의 본질적인 훈련과 노력을 통해서 그는 자신의 이상형과의 성공적인 결혼을 이루어내게 되었다.

정말 인생의 가장 힘든 순간에 YMC를 찾은 사람에서부터, 인생은 모든 게 완벽해 보이는데 이성관계에만 문제가 있는 사람들까지 많은 이들이 YMC를 찾아왔다.

그 모든 사람들이 처음에 했던 것은 자신의 책임임을 받아들이고 '에너지 레벨'을 높이는 것부터 시작하였다.

그들은 나와 함께 현장(field)에서든 강의장에서든 "YES!" 라고 큰 목소리로 확고하게 소리를 내질렀다.

"일단 "YES!" 라고 가장 큰 목소리로 확고하게 소리를 질러봐라."

소리를 외치는 순간에 느껴지는 자신의 존재감과 감정을 느껴봐라.

태어난 순간부터 지금까지 자신과 함께해온 진실된 자신의 존재를 느껴보라는 것이다.

그 존재는 항상 우리의 편에 서서 우리가 필요한 순간에 잠재된 능력들을 개방시켜줄 것이다.

더불어 목소리 크기만 키워도 '소통'에서 나타나는 대부분의 문제는 해결이 된다. 더불어 자신감이 없어지거나 수줍은 순간에 가장 먼저 발생하는 현상은 목소리가 떨리거나 호흡이 짧아지거나 목소리 크기가 작아지는 것이다.

너무나도 단순하고 기본적인 이 목소리 크기와 톤은 비언어에서 50%를 차지하고 있다. 말의 내용은 7%이다. 물론 7%도 중요하지만 50%를 좀 더 신경 써야 함에도 불구하고 사람들은 대부분 이 목소리 크기와 톤은 무시한 채 7%에만 집착하는 경향을 보이고 있는 것이 너무나도 안타깝다.

● 찌질한 남성(average frustrated chumps)들에게 사실 목소리 크기 키우는 것은 굉장히 어렵게 느껴질 것이다.

이 글에서는 아무것도 아닌 것처럼 이야기를 하고 있지만 실제적으로 목소리를 키우는 것은 어렵다. 근데 그것을 해결할 수 있는 사람은 오로지 자신뿐이다. 에너지레벨의 통제야말로 자신에게 100% 책임이 달려있다. 그것은 본인이 할 것인가 말 것인가에 달려있기 때문이다. 목소리를 크게 내는 것은 본인의 자유다. 그리고 좋은 소통과 전달을 위해서 목소리를 크게 내는 것은 우리의 책임이다.

에너지레벨을 자유자재로 통제하게 된다면 특별한 멘트, 성형수술, 외제차가 없이도 여성들을 쉽게 자신에게 집중시킬 수가 있을 것이다. 주목을 받는 법을 깨닫게 될 것이다. 더불어 집단 내에 역동성(dynamics)을 키우는 법을 깨닫게 될 것이다. 에너지레벨을 통제함으로서 사람들의 에너지레벨을 함께 키워낸다면 '집단역동'에 지대한 영향을 끼치게 될 것이기 때문이다.

또한 자신의 에너지레벨을 높이면 높일수록 내면에 느껴지는 '무엇인가'가 많아지게 된다. 내면을 느끼게 되고, 존재감을 느끼게 되고, 그것은 곧 사회적인 영향력으로서 표출되어진다. 우리가 바라는 '존재감'과 '영향력'을 키울 수 있는 가장 빠르고 확실한 길이 바로 에너지레벨을 통제하는 것이다.

'존재'는 무형이지만 이러한 존재감을 느끼고 있는 상태는 매우 중요하다. 자신의 내면을 강하게 느끼고 그러한 느낌을 바탕으로 확신을 담아 말을 한다면 사람들은 그 사람의 존재감과 영향력을 빠르게 인식하게 될 것이다.

에너지레벨을 통제하는 것은 가장 기본중의 기본이고, 이것 하나만으로도 우리는 모두 주목을 받는 사람이 될 수가 있다. 소통과 전달에 있어서도 훨씬 유리한 고지를 점할 수가 있고, 자기 자신의 내면을 느끼면서 확신을 담아 말하는 방법도 깨우치게 될 것이다. 더불어 사회적인 존재감과 영향력의 발산을 통해서 사람들에게 매력적이고 깊은 잠재의식에 '각인'이 되는 사람이 될 수가 있다. 이러한 에너지레벨의 통제는 외부적인 요소들과는 아무런 상관없이 내면에서부터 발생하는 것이고 사람이라면 누구나 실현할 수 있는 가치라고 할 수가 있다.

⊙ "EMOTION: 감정과 직감의 중요성"

에너지레벨을 통제하기 시작하면 '감정(emotion)'에 대해서도 많은 것을 느끼게 될 것이다.

코인노래방에 가서 매일 2곡씩 노래를 부르고, 노래를 부를 때마다 최대한 감정이입을 해서 노래를 부르는 것을 연습한다면 머지않아 '감정'을 발산하고 표현하는 법을 깨닫게 될 것이다.

에너지를 밖으로 표출이 되지만, 감정은 자기 자신의 안으로 들어가는 느낌이 크다. 물론 찌질한 남성(afc)들은 대부분이 부정적인 감정을 활용한다. 자의식, 두려움, 걱정, 불안 등과 같은 감정을 표출하기 때문에 자신이 사회적으로 낮은 가치의 남성이라는 사실을 계속적으로 '영향력 있게' 소통을 하게 되는 것이다. 그러한 감정 상태는 절대로 숨길수가 없다. 안에 있는 대로 나타나기 때문이다.

'감정'은 침묵상태에서 잘 느껴진다. 침묵상태에서 모여진 '감정'이 폭발하면서 대화를 할 때에 강한 '에너지레벨'로 나타나게 된다면 우리는 매우 강력한 '확신'을 담아 말을 하는 법을 배우게 될 것이다. 이것은 다른 사람이 나를 믿게 만들어버리는 힘을 갖고 있음은 물론이고, 다른 사람의 잠재의식의 나의 존재를 각인시키는 유용한 도구임이 틀림이 없다.

한 가지 염려가 되는 것은 많은 사람들이 감정을 잡기 위해 '기'를 모으는 행동을 하는데 그렇게 하지 말고, 일단 시작을 한 다음에 현존 속에 관성을 키워내면서 감정을 증폭시키는 법을 배워야만 한다.

대부분의 남성들은 여성으로부터, 즉 외부로부터 뭔가를 느끼려고 한다. 인정을 받으려고 하고, 여성이 자신에게 좋은 감정을 주기를 바라고 있다. 항상 기다리고 대응적이다. 그렇기 때문에 여성과의 소통에서 느끼는 것이 아무 것도 없는 상황에서 항상 당황스럽고, 결핍하고, 불안하고, 불안정한 상태를 유지할 수밖에 없다. 이는 매우 낮은 가치이고, 여성이 자신을 구원해주기를 바라는 마음이다. 이러한 현실에서 벗어나야만 한다.

남성성에 있어서 높은 가치란, "리더십, 자신감, 주도성, 독립심 등"과 같은 내적인 가치이다. 물론 이러한 가치는 모두 무형적이기 때문에 눈에 보이지도 않고, 피상적으로 잘 나타나지도 않는다. 그럼에도 불구하고 우리는 '리더십'이 있는 사람, '자신감'이 있는 사람, '주도성'이 강한 사람, '독립심'이 강한 사람 등을 한눈에 알아본다. 그것을 알아보는데 걸리는 시간은 불과 0.3초밖에 되지 않을 것이다.

여성들은 높은 가치를 가진 남성을 찾아내는 것에 굉장히 특화되어있다. 왜냐하면 진화심리학적으로 그러한 가치를 가진 남성을 만나야만 '생존'에 유리하기 때문이다. 그렇기 때문에 높은 가치를 가진 남성에게 저항할 수 없이 끌릴 수밖에 없는 것이다. 현대사회에서도 여성들의 본능은 여전히 강인한 남성성과 그것을 표출하는 내적 가치들에 반응할 수밖에 없다.

너무나도 많은 남성들의 내면이 텅텅 비어있고, 내면에서부터 감정을 주도적으로 끌어 쓰지 못함은 물론이고, 대응적이기 때문에 외부로부터 '좋은 감정'이나 '자신감'을 얻으려는 경향을 보인다. 근데 이러한 태도는 곧 여성들과 환경에 의해 항상 자신의 감정에 영향을 주겠다는 결심과도 같다. 물론 긍정적인 감정만 다가온다면 좋겠지만 '두려움, 걱정, 불확실성, 공포, 불안함, 불안정성 등'과 같은 우리를 낮은 가치로 이끄는 감정들이 우리의 내면을 지배하게 될 가능성이 매우 크다. 높은 가치의 일관성을 유지하고 싶다면 절대로 대응적인 남성이 아닌 '주도적인 남성' 그리고 '주도적인 사회적 전략'에 집중해야만 할 것이다.

방금 위에서 언급한 것처럼 남성의 내면은 여성의 '생존'과 직결되기 때문에 여성들은 남성이 현재 느끼고 있는 감정 상태에 굉장히 민감하다. 그리고 그것은 이성적이고 논리적인 것이 아니라 직감적으로 느껴버리는 것이다.

우리도 누군가를 대할 때에 그냥 편안한 사람이 있고 불편한 사람이 있을 것이다. 그것은 정의를 내려서 편한 사람과 불편한 사람으로 구분하기 이전에 직감적으로 느껴버린 감정 상태에서부터 시작이 되는 것이다. 이와 마찬가지로 여성들은 남성이 높은 가치인지 혹은 낮은 가치인지에 대해 굉장히 민감하다.

남성이 여성과 대화를 할 때에 '불안함'이나 '불편한 감정'들이 자기도 모르는 사이에 표출이 되어 여성에게 전달이 된다는 것이다.

물론 그 반대의 높은 가치를 갖고 있는 경우에도 여성들은 **빠르게** 눈치를 챈다. 이 사실을 믿고 계속해서 자신의 '무형적인 내적 가치'를 키워내는 것에 집중해야만 한다. 여자들은 분명히 나의 가치를 알아줄 것이고 인정해줄 것이다. 그렇기 때문에 우리는 무슨 수를 써서라도 항상 높은 가치에 집중을 해야만 한다. 심지어 여자가 알아주지 않고 인정해주지 않는다고 할지라도 '낮은 가치'의 구걸 하는 거지같은 삶보다는 '높은 가치'의 자신의 모든 잠재력을 발휘하는 삶이 더 멋지지 않은가? 자기 자신을 위해서라도 '높은 가치'에 집중하고 살아가야만 할 것이다.

사람은 한 번에 한가지에만 집중할 수 있고, 자신이 집중하고 있는 것은 점점 더 의식을 장악하게 된다. 결국 우리는 남성으로서 자신이 가진 긍정적이고 높은 가치의 자원들에 계속해서 집중해야 하고, 그러한 자원들을 계속해서 사용하고 끄집어냄으로서 여자를 만났을 때에 '자동적으로' 그러한 가치들을 나타내게 될 것이다. 더불어 여성들은 그러한 가치를 굉장히 **빠르게** 알아차리게 될 것이다.

너무나도 많은 수강생들이 코칭을 받게 되면서 논리적으로 이성적으로 설명할 수 없는 상태에 **빠지게** 된다. 그것은 갑자기 여성들의 반응이 좋아진다는 현실이다. 물론 이러한 현실은 자신의 높은 가치와 남성으로서의 '자원' 및 '가치'에 집중하고 있는 사람들에게만 발생하는 현실이다. 간혹 낮은 가치에 집중하는 사람들이 있는데 그러한 가치에 집중하고 있는 사람들은 아무리 수업을 길게 한다고 할지라도 이런 현실을 느끼지 못할 것이다. 물론 코치의 책임은 그들이 '높은 가치'에 집중하도록 방향성을 제시하고 도움을 주는 것이다.

더불어 눈에 보이지 않는 내면적이고 무형적인 가치를 키워주는 역할을 하다 보니 때로는 '코치'로서 서운한 경우가 생길 때도 있다. 그것은 간혹 수강생들 중에는 자신이 성장한 이유를 눈에 보이는 피상적인 증거에서만 찾으려하는 행위 때문이다. 30년 동안 모태솔로로 살아가다가 단 2개월 만에 여자들에게 인기가 있는 남성이 된 것은 패션스타일을 바꿔서도, 헤어스타일을 바꿔서가 아니다. "여자들은 당신의 내면을 직감적으로 알아봤을 뿐이다."

눈에 보이는 피상적인 증거에 집착하기 시작하면 다시 내면에는 '결핍함'이 찾아오기 시작하고 사회와 이길 수 없는 싸움으로 다시 돌아가는 수강생들을 보게 된다.

결국 다시 남은 평생을 결핍함을 이기기 위한 삶을 살아가게 된다. 부족하다는 느낌으로 인해서 내면에는 다시 '걱정, 불안함, 두려움 등'과 같은 감정 상태를 품게 될 것이고, 그러한 감정 상태로 인해서 다시 여자들은 그 남성에게 매력을 느끼지 못하게 되는 '악순환'은 계속해서 반복되어진다.

눈에 보이지 않는 무형적인 가치들이 외부적으로 나타나는 가치들보다도 더 중요하다는 경험을 해놓고도 다시 피상적인 가치만을 쫓아서 살아가는 것을 보면 안타깝지만 그것은 본인의 선택이고 인생이기에 멀리서 응원하며 그들의 선택을 존중할수 밖엔 없다.

코치로서 가장 중요한 자질 중에 한 가지는 바로 여자들이 직감적으로 이 남자에 대해서 어떤 가치를 느낄지를 파악하는 것이다. 여자들은 분명히 사람들을 만날 때에 뭔가를 느낄 수밖에 없다. 최대한 '높은 가치의 남성성'을 느낄 수밖에 없는 방향성으로 전문적인 '코칭'을 하는 것이 매우 중요하다.

나는 수만 명의 여성들을 만나오면서 여성들이 이 남성을 만났을 때에 직감적으로 무엇을 느낄까를 이해하게 되었다. 그것은 말로 설명하기는 어렵다. 그저 어떤 느낌을 이해할 뿐이다. 그렇기 때문에 수강생들을 한 사람 한 사람 만나면서 그 수강생의 장점과 강점을 지속적으로 파악하고 이해해나가는 것이 코치에게는 매우 중요하다. 더불어 각 사람이 가진 남성으로서의 높은 가치를 자연스럽게 표출하고 표현할 수 있도록 지속적으로 유도해내야만 한다. 사람마다 다른 성향과 개성, 고유함, 그리고 색깔을 갖고 있기 때문에 각자에게 맞는 최적화된 '강점'이 필요하고 그것을 자신이 의식하지도 못한 사이에 여성들이 느낄 수 있도록 함께 훈련해나가는 과정이 중요하다는 이야기이다. 때로는 수강생들이 자신이 어떤 사람인지를 이해하려고 한다. 자신을 정의내리고 틀에 가두려고 하는 것이다. 그것은 모두 에고(ego)를 강화시키기 때문에 차라리 자신이 왜 잘하는지를 모르면서도 잘할 수밖에 없게 반복적인 훈련을 통해 자동적으로 '높은 가치'를 표출하는 사람이 되는 것이 훨씬 더 이롭다.

무형적인 가치나 현상을 모두 이해하려고 하지마라. 우리는 '산소'가 존재한다는 사실을 어렴풋이 짐작을 하는 수준에서 이해하고 살아가지만 그 '산소'를 정의내리고 하거나 알려고 하거나 모든 것을 조목조목 따지려고 들지 않는다. 그저 그 '산소'를 통해 숨을 쉬면서 살아갈 뿐이다. 심지어 그 산소에 매일 매일 감사함을 표현하거나 그 산소를 특별하게 생각하는 사람들도 거의 존재하지 않을 것이다.

이와 마찬가지로 자신의 내면에 존재하고 있는 그리고 필요한 순간에 언제든지 발산하게 되어버리는 '높은 가치의 남성성'을 모두 이해하려고 해서는 안 될 것이다. 무한한 것을 유한한 것으로 정의 내리려고 하는 것처럼 멍청한 행위는 없다. 한정적인 작은 그릇에 무한한 모든 것을 담을 수도 없을뿐더러 담으려고 해봤자 헛된 노력이 될 뿐이다. 그저 '높은 가치의 남성성'은 내 안에 분명히 존재하지만 필요한 순간에만 발휘되는 무한한 개념으로서만 이해를 하는 것이 좋다. 그리고 그러한 남성성이 필요한 순간에 '자기 자신을 신뢰'하며 불확실한 상황 속에 스스로를 던져낼 수 있는 '용기'가 우리에겐 필요할 뿐이다. 높은 가치의 남성성을 당연한 것으로 만들어서 그것에 대해 의식조차 하지 않는 수준에 도달하는 것이 100% 내츄럴의 정의이기도 하고, 우리가 추구하는 목표가 되어야만 할 것이다. 그저 우리는 불확실한 상황 속에 최대한 '빠르게' 우리를 밀어 넣고, 우리가 할 수 있는 최선을 다해서 행동하면 된다. 더불어 한번 이렇게 해서는 충분히 배울수가 없다. 최소한 3개월 정도는 충분히 훈련을 하여 '무의식적인 능력'으로서 자동화 과정을 거쳐야만 한다. 지식이나 이론을 머리로 이해하려고 하지 마라. 실제적인 행동, 실천, 몸으로 익히려고 노력해야만 할 것이다..

사람은 누군가에게, "나 지금부터 저 사람에게 매력을 느껴야지." 라는 생각과 결심을 한 후에 매력을 느끼는 것이 아니다. 데이비드 드안젤로의 말처럼, "매력은 선택이 아니다." 그렇기 때문에 감정적인 자극에 대한 반응으로서 사람은 누군가에게 매력을 느껴버리게 되는 것이다. 그러한 과정은 직감적이고 본능적이기 때문에 매우 **빠르게** 발생을 한다. 우리의 '생각'이 인지하지 못하는 순간에도 이미 매력은 발생하기도 하고 사라지기도 한다. 그렇기 때문에 생각으로 '높은 가치'가 되려고 애쓰지 마라. 생각으로서의 애씀은 큰 의미는 없다. 사람은 누구나 행동을 하고 있던가 생각에 잠겨있다. 우리는 행동가, 실천가, 모험가가 되야만 한다. 불확실한 상황에 **빠르게** 자신을 밀어넣어라.

그리고 그 안에서 최선을 다해 자신이 가진 모든 과감성과 즉흥성을 발휘해라. 상황을 대처하고, 위기를 극복하고, 임기응변을 행하라. 자신이 될 수 있는 최고의 자신이 되어라. 생각으로 애쓰고 있는 것이 아니라 실제 상황 속에서 그렇게 하라는 것이다. 더불어 절대로 과정 속에서 생각에 잠기지 마라. 그것은 큰 도움이 되지 않는다. 최선을 다해서, 영혼을 담아 행동하고 또 행동하라. 그 안에서 자동적으로 '남성으로서의 높은 가치'가 흘러나오는 존재가 될 때까지 반복해서 훈련해야만 한다.

여성에게 '어프로치'를 행하면서 부정적인 반응에 영향을 받는 자가 되지 말자. 그것은 결국 자신의 문제가 될 수밖에 없을 것이다. 여성에게 '높은 가치'를 전달하고 강한 존재감과 영향력을 발산하는 사람이 되자.

여성이 주도적으로 남성에게 기분 좋은 감정을 책임져주지 않는다고 할지라도 불평하는 찌질한 남성이 되지는 말자. 그것은 매우 무책임한 태도이며 어린 아이가 엄마의 젖을 바라는 것과 같은 태도이다. 이런 수준에 머물러서는 절대로 최고의 자기 자신을 만날 수가 없을 것이다.

한국의 현재 이성관계의 시스템은 남성이 여성에게 애원을 하는 거지같은 패러다임이다. 그것은 곧 "Taking Value"의 차원을 넘어설 수는 없다. 우리가 바라는 것은 "Offering Value"의 차원이다. 이 둘이 어떤 면에서는 비슷해 보일지도 모르겠다. 결국에는 여성의 인정을 받아 내야하기 때문이다. 하지만, 구걸을 해서 돈을 받는 거지와 자신이 '주도적'으로 리더십과 용기를 발휘해 사업을 하고 큰돈을 버는 사람과는 엄연한 차이가 있다.

두바이 거지와 한국에서 사업을 하는 사람이 같은 연봉을 받는다고 할지라도 거지는 항상 타인으로부터 구걸을 통해 '가치'를 얻어내야만 하지만 사업가는 자신이 그 가치를 만들어 낼 수 있다는 확고한 믿음과 자신감이 존재할 것이다. 거지는 자기 스스로를 불신하고 타인을 믿을 확률이 높지만, 사업가는 그 누구보다도 스스로에 대한 확신과 신념을 갖고 인생을 살아갈 것이다.

사랑과 인정을 구걸하지마라. 그러한 이성관계의 시스템에서 탈피하라. 우리에게는 자신이 사랑과 인정을 받을 수밖에 없다는 확신과 신념이 필요하다.

"먼저 가치를 전달하는 사람이 되자. 'Offering Value'"

가치를 전달함에 있어서 'Energy and Emotion'은 굉장히 주요한 역할을 하게 된다. 다른 사람에게 영향을 끼치기 위해서는 그 누구보다도 스스로에게 영향을 끼칠 수가 있어야만 한다. 그리고 스스로에게 '역동성(energy)'적인 측면에서 그리고 '감정적인(emotion)' 측면에서 영향을 끼치고 있다면 스스로의 존재감을 강하게 느끼게 될 것이다. 그것은 곧 자기확신과 자기신뢰로 이어지게 될 것이다.

물론 어렵게 생각할 필요는 없다. "일단 목소리를 크게 해라." 이것이 가장 기본이고 누구나 곧바로 실천할 수 있는 하나의 시스템이다. 앞으로는 평생 크게 말하기로 결단하고 무조건적으로 실행해야만 할 것이다.

더불어 목소리를 크게 하면서 그 안에서 자신안의 '열정', '의지', '존재감', '역동성', '감정', '희망', '욕구', '간절함' 등을 느낄수만 있다면 우리는 굉장히 강한 존재감과 영향력속에서 하루하루를 살아가게 될 것이다.

"감정은 전염성을 갖는다." 그렇기 때문에 내 자신에게 영향을 끼칠 수 있는 주도적인 사람은 곧 다른 사람들의 내면에도 강한 영향력을 끼치게 될 것이다. 다른 사람들의 내면을 '기분 좋은 감정상태'로, 혹은 '자극적인 감정상태'로 채우면 채울수록 영향력을 바탕으로 타인에 대한 통제력과 권력을 갖게 될 것이다. 더불어 타인의 내면이 채워지는 순간에 우리는 자신 안에 있는 무형적인 가치들이 진실이라고 더욱 확신을 갖고 믿게 될 것이다.

그렇기 때문에 그 무엇보다도 먼저 자기 자신의 내면을 통제하고, 역동성을 발휘하고, 에너지레벨을 자유자재로 통제하고, 감정을 표출하고 표현하는 법을 배워야만 할 것이다.

그 시작은 일단 목소리를 크게 하는 것이고, 그 안에서 다양한 감정을 느낄 수 있도록 내면에 집중하는 것이다. 더불어 타인에게 영향을 끼치지 못할지라도 최소한 스스로의 감정을 통제할 수 있는 사람이 될 것이다. 인생에 있어서 스스로의 주인이 되는 것만큼 중요한 것은 없다.

에너지레벨을 통제하고 집단역동성을 극대화시키며 엄청난 '감정의 소용돌이'속으로 사람들에게 강한 영향력을 끼치기 위해서 우리가 실천할 수 있는 방법 중 한 가지는 일주일에 한 번씩 노래방을 가서 열정을 다해 노래를 불러보는 것이다.

물론 평상시 생활을 할 때에 최대한 큰 목소리로 당당하게 말하는 것을 연습하는 것이 가장 좋다.

'어프로치'를 실천하고 있는 사람들이라면 여자들에게 접근을 할 때에 큰 목소리로 당당하게 말하는 것을 훈련해야 한다. 한 가지 유의할 점은 여자에게 접근할 때의 목소리에 에너지가 집중되어 있어야한다는 것이다. 이것은 글로 표현하기는 조금은 어려운데 목소리가 크기만 해서는 안 되고 그 목소리가 모여진 응축된 에너지로서 커야한다. 그래야 사람들의 주의와 집중을 빠르게 끌어당길 수가 있는 힘을 얻게 될 것이다.

더불어 노래방을 갈 때에 정말 가수처럼 노래를 잘하는 사람들이나 감정이입이 충만한 사람들이랑 함께 가는 것이 좋다. 혹은 에너지레벨이 넘치는 사람과 함께 노래방을 가면 더욱 빠르게 '역동성'과 '바이빙'을 몸으로 체득하게 될 것이다.

본인이 노래를 할 때에도 최대한 감정이입을 하고 최대한 큰 소리로 노래를 부르기 위해서 노력해야만 한다.

'이성관계의 성공과 행복'을 추구하며 100% 내츄럴적인 방향성을 추구하는 사람들은 주말에 클럽이나 사교 장소에 나가 여성들에게 '생각으로 애쓰는 행위' 없이 어프로치 하는 것을 추천한다. 어프로치를 할 때에는 항상 그 상황보다 약간 더 높은 수준의 에너지를 발산해내는 것이 중요하다. 역동성으로서 타인에게 영향을 끼칠 때에 중요한 것 두 가지는 바로 '확고함', '일관성' 등이 있다. 그것은 외부의 반응에서부터 얻어지는 것이 아니라 자신의 내면에서부터 끌어와야만 한다는 사실을 기억했으면 한다. 과거 TNP에서 강사를 하던 시절에 클럽에서 어프로치를 할 때면 항상 목이 쉴 정도로 큰 목소리로 외치고 또 외쳤던 것 같다. 물론 동료 강사들도 항상 목소리가 쉬어있었다.

보통 사람들은 노래방에서 1시간정도 노래를 불러도 목이 쉰다. 클럽에서 여성들과 3시간 대화를 하다 오면 목이 쉬는 것은 너무나도 당연한 현실이었던 것이다.

아무런 감정이나 역동성 없이 여자에게 이야기를 하는 것만큼 매력적이지 않은 남성은 없을 것이다. 우리는 그러한 감정이나 역동성이라는 '감정의 자극'을 받기위해 노래와 랩을 듣는 것 일수도 있다. 자신의 '소통력'을 통해 사람들의 감정을 자극 할수만 있다면 굉장히 큰 '존재감'을 스스로 느낄 수가 있을 것이고 타인에 대한 '영향력'을 발휘하게 될 것이다.

더불어 노래를 하면서 '바이브(vibe)'의 개념을 이해하게 되었다. 바이브란 감정이 전달되는 것을 의미한다. 전달되기 이전에 이미 자신의 내면에서 감정이 충만해야만 할 것이다. 내 안에 충만한 감정은 타인에게 전달이 된다. 그리고 그러한 감정은 쉽게 공감할 수가 있다.

어떠한 이성적인 생각이나 논리는 공감하기가 어려울 수가 있지만, 감정은 쉽게 공감이 된다. 공감을 할 수밖에 없게 만드는 능력을 키워내는 것은 '소통'에 있어서 정말 중요하다. 그것은 곧 우리가 바라는 이성과의 '정신적인 교감' 상태를 느끼게 해줄 것이다.

노래를 하지 않은 상태에서 감정을 잡는 것만으로도 그 감정을 유지하는 법을 배울 수가 있다. 어떤 감정을 진실로 느끼고 그 진정성 있는 감정을 표현하고 표출하는 법을 배운다면 우리는 항상 강한 '전달력'을 발휘하며 인생을 살아가게 될 것이다.

더불어 감정이라는 것은 내면에서부터 흘러나오는 것이기 때문에 본래 '침묵'속에서부터 시작이 된다. 그러한 감정의 흐름을 이해하는 것도 굉장히 중요하다. 그래야만 더욱 강한 감정을 발산할 수가 있게 될 것이다.

결국 여성과 함께 역동성을 만들고 높은 가치의 감정을 공유하는 법을 마스터 할수 있다면 언제 어디서든지 훌륭한 소통을 할 수 있는 능력자가 될 것이다. 그러한 능력자가 바로 내츄럴이다.

자신 안에 있는 '에너지'와 '감정'을 버려둔 채 외부로부터 좋은 역동과 감정을 찾으려고만 한다면 항상 외부적인 감정의 자극을 살아갈 수밖에 없다. 대응적인 사람이 될 수밖에 없다는 것이다.

외부에 대한 모든 의존증을 내려놓고 그 누구보다 자기 자신을 믿어야한다. 자기 자신을 믿는다는 것은 일단 자신을 불확실성속에 밀어 넣고 그 순간 속에서 최고의 자기 자신이 되기 위해 행동하라는 것이다. 더불어 그 행동 속에서 내면으로부터 치고 솟아 올라오는 강한 에너지와 역동, 그리고 감정과 소통을 통해 우리의 삶은 대응적인 패러다임에서 주도적인 패러다임의 차원으로 흘러가게 될 것이다.

누구나 자신 안에 잠재되어진 자원을 발견하고 내적 가치를 훈련을 통해 계발해낸다면 어느 사교 장소에 가든 지간에 '집단 역동'을 발생시킬 수가 있고, '자극적인 감정'을 통해서 많은 사람들에게 영향을 끼치게 될 것이다.

■ 제 14장: 내츄럴가이드, The Natural Guide

이성관계에서 풍족한 현실 속에 살아가는 내츄럴(natural)들은 어떠한 '현실', '신념', '행동', '경험' 속에서 인생을 살아가고 있을까?

그리고 이성관계에서 항상 좌절하고 고통 받는 찌질한 남성들은 어떠한 '현실', '신념', '행동', '경험' 속에서 인생을 살아가고 있을까?

이러한 질문에서부터 이 책은 시작되었다. 이성관계에서 실패적인 현실에서 시작을 했지만 계속적인 탐구와 실천 끝에 이성관계의 성공과 행복을 이루게 되었다. 그 과정에서 이미 이성관계에서 성공적인 많은 남성들을 만나게 되었고, 그들과 자연스럽게 친밀한 관계를 유지하게 되면서 '내츄럴(natural)'에 대해 많은 것들을 이해하고 배울수가 있었다.

이 가이드라인을 통해 누구나 후천적인 매력을 계발하고, 이를 통해 내츄럴에 이르기를 기대해본다.

진정으로 매력적인 남성이라면 여성에게 무슨 말을 할지에 대해서 고민을 하기 이전에 이미 자신이 매력을 느낀 여성과 당당하게 말을 하고 있을 것이다.

생각을 하고 여자를 대하기 시작하면 평생 그 행위를 강화하게 됨을 기억하라. '생각을 하고 여자에게 말을 하는 습관'이 강화되기 시작하면 20년 후에도 그렇게 말을 하는 것이 편안하게 느껴질 것이다.

그렇기 때문에 우리는 100% 내츄럴이 되야 하며, 자신 안에 있는 무형적인 가치와 자원들을 믿는 힘이 필요하다. 눈에 보이지 않는다고 존재하지 않는 것이 아니다. 일단 불확실성속에 자신을 던져보면 자신 안에 있는 무형적인 가치와 자원들을 발견하게 될 것이다. 필요하지 않으면 우리의 잠재의식은 그러한 능력을 절대로 허락하지 않는다. 생각이나 고정된 이미지 속에서 벗어나 진실된 자기 자신이 되고, 최고의 자기 자신으로서 매력적인 존재가 되길 바래본다.

"내츄럴가이드 에프터 (Day 2's)"

어프로치가 성공적이었다. 확실한 남성성, 과감성, 즉흥성이 발휘되었고 적절한 에너지레벨과 감정의 소통과 공감이 발생하였다. 더불어 이 모든 것이 너무나도 자연스럽게 100% 내츄럴적으로 안정적인 상태로 이루어졌다.

하지만, 꼭 당일에 모든 것을 할 수 있는 것은 아니다. 만나자마자 좋은 감정으로도 굉장히 친밀한 상태에 빠질 수도 있지만 때로는 '시간을 두고' 다시 만나야 하는 순간들도 찾아오게 될 것이다.

아쉽게 헤어지는 순간에 받은 '연락처'를 통해 다시 여성을 만나는 것을 시도해야한다. 그리고 여성을 다시 만나는 것을 '에프터'라고 이야기를 한다.

여성들도 자신이 마음에 든 남성이 하루 빨리 다시 만나자고 이야기를 꺼내줄 것을 기다린다. 남자가 먼저 그렇게 말해주는 것을 굉장히 중요하게 생각하는 것이 여자들이다. 여자가 남성이 마음에 든다고 할지라도 먼저 만나자고 하는 경우는 극히 드물다.

자기 자신에 대한 자기 확신이나 자기신뢰가 부족한 경우에는 여자를 다시 만나는 것을 떠나서 여자에게 연락을 하는 것 자체가 하나의 부담으로 느껴질 수도 있다. 10년 전에 나는 길거리헌팅(데이게임)을 통해서 여자들의 연락처를 받으면 그날 저녁 9시에 놀이터에 가서 15분정도 소리를 지른 후에 여자에게 통화를 시도했었다. 제정신으로는 도저히 전화를 하지 못할 것 같은 큰 부담감 때문에 그랬던 것 같다.

전화하는 것 혹은 연락하는 것이 이렇게 두려운데 만나는 것은 얼마나 두려울 것인가? 두려움 속에 한번 빠지기 시작하면 계속적인 두려움에 사로잡히게 된다. 처음하면서 완벽한 안정감을 느낄 수는 없다. 어찌되었든 그러한 모험 속에서 재미와 즐거움을 느껴야하는 것이 올바른 방향성이다. 도전하는 사람이 되야한다.

더불어 자신이 '높은 스테이트(peak state)'속에서 보여주었던 최고의 자기 자신을 다시 보여주지 못할 것이라는 불안감과 자기불신 때문에 여자에게 연락을 하거나 만나자고 하는 것이 더욱 두렵게 느껴질수도 있다.

이럴 때일수록 담담히 자기 자신을 수용해야 하고, 자신이 해낸 것을 다시 해낼 수 있다는 무차별적인 자기신뢰와 자기 확신이 필요하다. 이것은 정신적으로 애를 쓰거나 생각을 많이 하기보다는 마치 모든 것을 포기하고 내려놓는 느낌이 더 강하다.

자기 자신을 증명하고 인정받기 위해 애를 쓰는 것이 중요한 게 아니다. 여자를 통해서 자신의 가치를 정하려고 해서는 안 된다. 여성이 우리의 '정체성'을 비교 판단해주는 역할을 자처하지는 않는다.

그 누구보다도 스스로에 대해 자기 자신이 깊은 이해를 갖고 있어야만 한다. 내츄럴들은 보통 스스로의 가치에 대해 이미 잘 알고 있다. 자기 자신과도 친밀한 관계를 유지하고 있다. 그것은 곧 스스로에 대한 신뢰와 믿음을 계속적으로 키워왔고, 스스로에 대한 전폭적인 지지와 지원 그리고 응원을 하는 상태라는 것이다. 자책을 하기보다는 책임을 지고 반성을 하고 자신이 원하는 것에 대한 확실한 방향성을 스스로에게 제시한다.

다른 사람들에 의해 조종당하기보다는 스스로 자신의 길을 찾아가는 것이다. 더불어 그 길은 '건설적이고 높은 가치'의 것인 경우가 대부분이다. 자기 자신을 파괴하고 그릇된 길을 가면서 스스로를 위대하다고 말할 수는 없을 것이다. 그것은 허상의 길이고 스스로를 파멸로 이끄는 길이다.

성공을 하든지 실패를 하든지 항상 '자기자신으로서' 한다는 마인드와 태도만큼 중요한 것은 없다. 우리는 '어프로치'도 그렇게 해야 하고, 여자와의 '연락'도 그렇게 해야 하고, 여자와의 '에프터'도 그렇게 해야만 한다.

성장을 하기 위해서는 그 무엇보다도 일주일에 최소 1명의 새로운 여성을 만나보는 것이 중요하다. 그 과정속에서 반드시 성장하게 된다. 찌질한 남성들은 여성을 만났을 때에 대화주제를 어떻게 이어갈지에 대해서 고민이 많다. 그저 인생을 살아가는 이야기를 '너와 나'에 초점을 맞춰 하면 된다는 사실을 이해하지 못하는 것이다.

일단은 만나는 것이 중요하고 서로에 대해서 탐색하고 알아가는 것이 중요하다. 더불어 인정받으려고 애쓰기보다는 여성을 인정해주는 것이 좋다. 다만 너무 쉽게 상대방을 인정해주지 말고 정말 조금이라도 느껴지는 '강점'을 찾아서 인정을 해주는 것이 진실되고, 그 진실됨을 상대방도 느끼게 될 것이다.

절대로 처음 만남부터 너무 '너와 나'와 동떨어진 인물에 대해서 이야기를 하거나, 사회적인 상황, 혹은 다른 주제들에 대해서 이야기를 하는 것은 효과적이지가 않다. 그 무엇보다도 중요한 것은 서로가 서로에게 마음을 조금씩 열어가는 과정이고, 자신의 속 이야기를 편안하게 할 수 있는 상태에 이르는 것이다.

이러한 소통 과정 속에서도 남자가 '편안함', '안정감', 그리고 '즐거움'이라는 감정 상태를 잘 유지하고 여자를 그러한 감정으로 리드 해줘야하는 책임이 있다.

우리는 여자를 1:1 상황으로 만나 대화를 나눌 때에 항상 넓은 주제로 이야기를 할 수도 있고, 하나의 깊은 이야기를 꺼내서 대화를 나눌 수도 있다. 처음에 만났을 때에는 다양한 주제로 가볍게 이야기를 하는 것이 좋지만, 깊은 친밀감을 형성하고 더욱 깊은 관계가 되고 싶다면 서로가 서로에게 '자아 개방'을 한 상태로 이어져가야만 한다. 그 누구에게도 할 수 없는 이야기를 하기 위해서는 자기 자신의 마음을 상대방에게 진실 되게 열어야만 한다. 그 속에서 깊은 친밀감과 서로의 편이 됨을 경험하게 될 것이다.

찌질한 남성들은 여성이 자신을 좋아해주기를 바라고 애원을 하지만, 내츄럴들은 오히려 여자가 자신을 쫓아오게 만든다. 이것은 아주 간단하게 해결할 수가 있는데, 여성이 남자에게 인정받으려고 노력을 하는 그림을 만들고 남성이 인정해주는 그림이 된다면 이러한 상황을 만들어 낼 수가 있다. 기본적으로 여성들은 낮은 가치의 남성에게는 절대로 인정받으려고 하지는 않는다.

아무리 완벽해 보이는 여성이라고 할지라도 누구에게나 취약성 (vulnerability)은 존재한다. 그렇기 때문에 여성의 깊은 내면이나 소녀 같은 부분을 느끼고 그러한 이야기들을 함께 공유하게 하면 좋다. 물론 이러한 진지한 이야기를 할 때에는 진지한 태도로 상대방의 말을 경청하는 것이 굉장히 중요할 것이다.

틀에 박힌 사고방식에 빠져 편견이나 고정관념을 갖고 상대방의 이야기를 듣는다면 그것은 점점 더 상대방의 마음을 닫히게 만들 것이다. 반면에 자신의 개성과 고유함을 그대로 유지하면서 상대방의 이야기에 경청을 할 수가 있다면 그것은 상대방의 마음을 더욱 활짝 열게 만들 것이다. 찌질한 남성들은 여성에게 자신을 맞추기 위해 애쓰는 형태로 이성관계를 추구한다. 사회가 정한 시스템속에 갇혀있는 것이다.

하지만, 내츄럴들은 이러한 시스템에서 해방된 자유로운 자들이다. 심지어 그러한 자유를 가진 남성들이 더욱 매력적이다. 때로는 '무관심'해보일정도로 내츄럴들은 여성의 반응을 크게 신경 쓰지 않는다. 더불어 모든 여성들이 자신을 좋아할 수는 없다는 현실을 수용하지만 동시에 자신을 좋아하는 여성들이 많을 것이라는 이상적인 생각을 품기도 한다. 심지어 여성들이 자신을 좋아하는 이유가 외모, 능력, 자동차 때문이 아니라 자신의 '존재감'과 '영향력' 때문이라는 생각을 갖고 있는 경우가 많다. 슈퍼카가 없어도 여자가 자신을 좋아할 것이라는 확고한 믿음과 자기 확신이 있는 것이다. 나아가 슈퍼카나 자신의 직업으로 여자를 유혹하는 행위는 말 그대로 찌질하다는 생각을 할 것이다.

그렇기 때문에 내츄럴들은 되든 안되든 항상 자기 자신으로서 이성관계에 도전하고 당당하게 도전을 한다. 실패를 하더라도 주변에는 항상 만날 수 있는 여성들이 존재하기 때문에 실패 속에서도 풍족함과 여유를 쉽게 유지해 낼 수가 있다. 심지어 주변에 여자가 한명도 없을지라도 언제든지 새롭게 여자를 만날 수 있는 능력과 믿음이 있기 때문에 큰 아쉬움이 없는 것처럼 보여진다.

찌질한 남성들은 대화에 집중을 하지 못한다. 자신의 생각이 너무 많기 때문이다. 에너지레벨은 조루같이 제대로 발휘를 하지 못하고 역동성의 점차적인 발산을 느끼기가 어렵다. 오히려 역동성은 시간이 지나면 지날수록 더욱 떨어지는 경향을 보인다. 그와 함께 더욱 생각에 잠기게 되고, 긴장을 하게 되고, 불편하게 되고, 불안함속에 떨게 된다. 물론 그러한 감정 상태는 '자동적으로' 상대 이성에게 모두 전달이 되기 때문에 여성은 그 남성이 '낮은 가치'라는 사실을 빠르게 느끼고 시간이 지나면 의식적으로도 자신이 느꼈던 감정과 일치된 생각을 하게 된다.

내츄럴들은 대화를 할 때에 '소통'을 한다. 제대로 된 전달력을 통해서 자신의 의도와 말을 분명하게 전달한다. 때로는 서브텍스트(subtext) 등을 통해서 언외의 의도나 생각, 혹은 감정을 전달하는데 정말 뛰어난 능력을 발휘한다. 그렇기 때문에 찌질한 남성과 같은 말을 해도 전혀 다른 의도나 느낌을 전달할 수가 있는 경우가 굉장히 많다. 실제로도 날씨 이야기를 하면서도 성적인 분위기를 이끌어 낼 수가 있다.

찌질한 남성들은 성적인 농담을 몇 개 외워서 그 외운 것을 말해야만 성적인 분위기를 이끌어 낼 수가 있다고 믿는 경우가 많다. 심지어 그 믿음이 사이비종교를 믿는 수준의 확고함과 일관성이 있기 때문에 '맹점'이 발생하고 변화하는 것은 점점 더 힘들어진다. 끝에 가서는 대부분이 외부적인 구원을 바라는 경우가 많다. 그러한 시작과 끝이 자신이 추구해온 전략이 '대응적이였다는 사실'을 증명한다.

찌질한 남성들은 여성을 만나 자신의 마음을 닫고 있으면서, 상대방이 먼저 자신의 마음을 열었으면 하는 바램이 있다. 혹은 상대방의 마음을 열어 내려고 애를 쓴다. 근데 그러한 현실은 절대로 발생하지 않는다. 그리고 항상 여성들이 자신의 마음을 열어내지 못하는 것에 대한 모든 책임을 전가시킨다. 책임감 없이 남탓만을 하는 것이다.

내츄럴들은 '자아개방'을 잘하고 상대방도 쉽게 자신의 마음을 열 수 있도록 유도를 한다. 집중된 분위기와 몰입감속에서 서로의 이야기를 자연스럽게 하게 되는 것이다. 더불어 이러한 상황속에서 내츄럴들은 충분히 경청하고 공감한다.

아무에게나 하는 쓸데없는 이야기에는 귀를 기울이지 않게 될 수도 있다. 하지만 중요한 이야기라고 느껴지는 경우에는 빠르게 집중하여 경청하기 시작한다.

찌질한 남성들은 자신이 마음을 닫고 있고, 여성에게 자신의 색깔이나 개성, 혹은 자신만의 존재감을 표현해내지 못한다. 더불어 자신의 마음을 여자가 먼저 열어주기를 바란다. 항상 여자에게 애원하는 방향성으로 관계가 흘러가게 된다. 결국 시간이 지나면 지날수록 여자의 '반응'과 '인정'을 얻어내기 위해 모든 수단과 방법을 동원하며 최악의 가치를 지닌 '거지'가 되어버린다. 안타까운 사실은 이것이 정상적이라 느껴지는 현대사회의 '이성관계 시스템'이라는 것이다. 이 시스템을 벗어나겠다는 결심 없이는 절대로 찌질한 남성에서 벗어날 수가 없다. "여자에게 애원을 하는 모든 행위를 포기해야만 한다." 그것은 사랑꾼이 아닌 비참한 거지가 되는 가장 빠른길이다.

내츄럴들은 여성들과 대화를 하다보면, "내가 왜 이런 이야기를 너한테 하는지를 모르겠다."라는 이야기를 듣는다. 때로는 여성들이 대화를 하다가 굉장히 깊은 감정을 느끼고 눈물을 흘리는 경우가 많다. 이러한 순간에도 내츄럴들은 여성을 이해하고 편이 되고 감싸줌으로서 '안정감'이라는 남성성의 높은 가치를 제공하게 된다. 이 모든 것은 'Offering Value'인데 그 가치는 절대로 무료는 아니다. 단지 여자가 느끼는 만큼만 그 보상으로서 지불하게 되는 가치이다.

찌질한 남성들이 여자를 만났을 때에 소통을 하고 있는 대표적인 세 가지의 감정 상태는, "불편함, 불안함, 긴장감 등"의 감정 상태이다. 반면 내츄럴들이 여자를 만났을 때에 소통을 하고 있는 대표적인 세 가지의 감정 상태는, "편안함, 안정감, 즐거움 등"이 있다. 외부에서 이러한 감정이 오는 것이 아니라 내츄럴들은 자신의 내면에서 이러한 감정을 끌어오는법을 익히고 있다.

외부에서 여성의 반응을 통해 자신감이나 안정감을 느끼고 싶은 찌질한 남성들의 마음은 모든 가치를 빨아들이는 블랙홀과 같다. 반면에 내츄럴들은 항상 태양처럼 빛나는 존재로 살아간다. 사람은 누구나 외로운데 이렇게 빛나는 존재를 만나게 되면 그 존재가 자신의 외로움을 채워줄수 있다고 느끼게 된다.

서로에 대해 깊은 대화를 나누지 못하고 '정신적 교감 상태'를 경험하지 못한 이성관계는 언제 헤어져도 이상하지 않은 관계이다. 깊은 대화를 나누지 못했다면 서로의 신뢰도가 깊다고는 절대 말할 수는 없을 것이다.

깊은 정신적 교감을 통해서 내츄럴 남성과 여성 사이에는 보이지 않는 '무형의 끈'으로 마음이 연결되어 진다. 그리고 서로가 떨어져있어도 항상 그 끈이 존재하는 것처럼 느껴진다. 때로는 지속적인 확인 끝에 서로를 신뢰하게 되고, 그 신뢰의 끈을 놓치지 않게 서로가 서로를 위해 노력하는 관계로 흘러가게 된다.

찌질한 남성들은 여성에게 '순응'과 '투자'를 하는 행위가 그 관계를 강화시킬 것이라는 생각을 한다. 하지만 그것은 곧 보상심리만을 자극하게 된다.

반면에 내츄럴들은 여성의 '순응'과 '투자'를 요구한다. 그것은 깊은 이성관계를 위해 필요한 것이고 너무나도 당연한 것이다. 찌질한 남성들은 그러한 여성의 '순응'과 '투자'를 제대로 알아보지 못하고 어떻게 보상을 하는지도 모른다. 여성의 호감표현을 무시하게 되는 것이다.

내츄럴들은 여성의 노력과 투자에 대해 항상 보상을 해준다. 그리고 더 큰 '순응'과 '투자'를 이끌어낸다. 시간이 지나면 지날수록 여성은 남성에게 '투자'한 것이 너무나 많아 그 관계에서 빠져나오기가 어렵게 느껴진다. 사람은 본래 자신이 투자한 것을 가치 있게 여기게 되어있다. 현대의 심리학박사들도 여성에게 밥을 사주지 말고 밥을 얻어먹는 방향성을 추구하라고 조언을 할 정도로 여자의 투자를 유도해내고 그것을 더욱 증폭시켜나가는 과정은 매우 중요하다.

이러한 순응과 투자에는 경제적인 것이 가장 큰 것이기 보다는 실제적인 시간과 육체적인 노동을 사용한 '투자', 혹은 계속적인 생각과 감정을 통해 한 '투자'가 이성관계 에서는 오랫동안 기억이 되고 유지되어진다.

여성이 찌질한 남성을 단 한번만 만나 봐도 이미 느껴지는 것이 너무나도 많아버리기 때문에 다시는 안 만나고 싶어 한다. 두세 번 만나는 것이 이미 의미가 없어진 것이다. 한번만 봐도 이미 여성들은 그 남성이 어떤 사람인지 느껴지고 파악이 된다. 왜냐하면 '높은 가치의 남성'을 만나는 것은 여성들에게 '본능'이고 '생존'의 문제이기 때문이다.

"성공적인 에프터를 위하여.."

성공적인 '에프터'를 했다면 벌써 이성관계에 좋은 결과들을 마주하게 될 것이다. 생각보다 이성관계는 어려운 것이 아니다. 물론 첫 시작은 누구나 힘들게 느껴질 수도 있다.

언제 성공할지는 아무도 모른다. 행동하는 첫날에 성공하는 사람들도 있고, 6개월 만에 성공하는 사람들도 있을 것이다. 11년 전의 나는 1년 동안의 끈질긴 노력 끝에 처음으로 한 여성과 좋은 이성관계에 돌입하여 성공을 하게 되었다. 결과가 언제 나타날지는 그 누구도 모른다. 하지만 우리는 충실히 자신이 해야 할 '과정'에 집중해야할 것이다. 성공적인 이성관계를 위해서, 그리고 행복한 이성관계를 위해서는 그 무엇보다도 100% 내츄럴의 방식으로 어프로치를 하고 지속적으로 많은 여성들을 만나는 것이 중요하다. 그리고 항상 더 좋은 여성과의 소통과 정신적인 교감을 추구해야한다. 여성과 대화를 하는 것이 즐겁고, 편안하고, 안정감이 넘치는 상태가 자연스럽게 되도록 해야할 것이다.

그것은 모든 상황이 완벽해서가 아니라 불안정하고 불편한 상황 속에서도 스스로 고요한 편안함과 안정감을 유지하고 지속할 수 있는 '자시신뢰(self reliance)'를 가진 남성이 되야 한다는 것을 의미한다. 이러한 면에서는 랄프 왈도 에머슨의 자시신뢰 에세이를 읽어본다면 큰 영감을 얻게 될 것이다.

언제든지 마음의 평화를 이루어낼 수 있는 '정신력'을 강화시켜야한다는 것이다. 그 정신력은 자기신뢰와 확신 그리고 스스로에 대한 내면의 믿음으로부터 시작하여 외부세계로 나타나게 될 것이다.

계속적으로 자신의 '과감성'과 '즉흥성'을 키워낼 수 있는 방법을 생각해보고 훈련을 하는 것이 매우 중요하다. '저항감(resistance)'을 온전히 받아들이고 저항감이 드는 순간에도 즉각적으로 행동할 수 있는 수준의 '과감성'을 키워내는 것이 중요하다. 어느 순간에는 저항감을 느껴버리기도 전에 이미 과감하게 행동하고 있을 것이다.

그렇기 때문에 우리는 100% 내츄럴로서 그냥 있는 그대로 여성에게 3초 이내에 접근을 해야만 한다. 더불어 불확실한 상황 속에 과감하게 들어갔다면 그 안에서 자신이 할 수 있는 모든 수단과 방법을 동원하여 최고의 자기자신이 될 수 있도록 '즉흥성'을 발휘하는 것이 중요하다. 일부러 멍청하게 행동하거나 상황을 망치는 것이 아니라 '기회'를 소중히 생각하고 그 한번 한 번의 기회 속에서 교훈을 얻어나가야만 할 것이다. 그리고 반복된 교훈 속에서 우리는 점점 더 똑똑해질 것이고 실패하는 것이 더 어려운 수준까지 도달하게 될 것이다.

더불어 한명의 여성을 깊게 이해하고 사랑할 수 있다면 (매력은 선택이 아니지만, 사랑은 선택이다.) 대부분의 여성들을 이해하고 사랑할 수가 있게 될 것이다. 좋아하는 감정이 생겨서 사랑할 수도 있지만, 사랑은 선택이고 희생이라는 생각을 한다. 그렇기 때문에 일단은 한 여성을 만나서 사랑하는 '과정'을 경험해보는 것이 성공적이고 행복한 이성관계를 위해 굉장히 필요한 '경험'이라는 생각을 해본다.

한번 한번의 '어프로치'와 여성들과의 '소통'을 소중하게 여기고 더 많은 '어프로치'를 통해서 더 많은 '소통'을 시도하는 것이 앞으로의 본인의 삶을 더욱 윤택하고 풍족하게 이끌어줄 것이다.

물론 처음에 '어프로치'를 할 때에는 그러한 현실을 이해하기는 어렵겠지만 이 내츄럴가이드를 읽고 마음을 정해 세달 정도 실천을 해 나간다면 누구나 빠르게 '어프로치'에서부터 '에프터' 그리고 성공적인 '이성관계'까지 도달하게 될 것이다. 더불어 피상적인 것만 보는 한정적인 시선에서 벗어나 사람과 사물을 깊이 있게 볼 수 있는 시야가 생기게 될 것이다.

"동일한 말을 해도 그 말에 어떤 역동성이나 감정을 담느냐에 따라서 완전히 의미가 달라질 수가 있다."는 말을 온전히 이해하게 될 것이고, 자신의 '존재감'과 '영향력'을 통해 많은 사람들에게 '인정' 받을 수밖에 없는 수준에 도달하게 될 것이다.

YMC가 믿는 가치는, "잘하면 잘하는 것이고, 잘하면 인정받는다."라는 가치이다. 분명히 여성들에게 인정받는 남자가 될 수밖에 없는 남성성과 높은 가치들(자신감, 열정, 과감성, 확고함, 일관성, 즉흥성, 즐거움, 침착함, 여유, 풍족함 등)을 이 내츄럴가이드를 통해 키워가게 될 것이다. 다시 한 번 말하지만 대부분의 남성들은 평소 생활을 할 때에 목소리부터 크게 말하는 행동을 반드시 실천해야 할 것이다.

아름다운 여성과 언제든지 편안하게 대화를 나눌 수 있는 남성들은 분명히 존재한다. 그리고 그들은 그 관계를 '다이나믹한 역동'과 '자극적인 감정'으로 채울 수가 있다. 이러한 남성들은 당연히 이성관계에서 다른 남성들보다 우위를 점할 수밖에 없다. 여기에 '당당한 자신감'과 '소통 능력'까지 갖고 있다면 그 남성은 매우 치명적인 남성이 될 수밖에 없다. 다만 그 남성도 한명의 사람일뿐이다. 결국 그 남성이 만날 수 있는 여자는 한정적일 수밖에 없다는 것이다. 동시에 여러 명을 만나는 것도 우리 사회에서는 굉장히 힘든 일이기도 하다. (물론 그렇다고 해서 여러 명의 여성을 만나는 것이 불가능한 것은 아니다.) 이 책을 통해 이제는 '찌질한 남성'으로 살아가는것과 '존재감과 영향력을 가진 남성'으로 사라가는 것이 본인의 '선택'이자 '자유'가 되었으면 한다.

나는 그동안 정말 많은 여성들을 만나왔지만 정말 사랑하는 여성과 연애를 할 때에는 그 한명의 여성밖에 만날 수는 없게 된다. 실제로도 훌륭한 내츄럴들이 사랑하는 여성과 깊은 연애를 하는 것을 많이 목격하게 된다. 많은 사람들이 나를 만나게 되면 내가 동시에 여러 명의 여자들을 만나거나 계속적으로 새로운 여자를 만나는 '현실'을 너무나도 당연하게 생각하는 경우가 있다. 물론 가능한 현실이다. 실제로도 오랜 시간동안 반복해서 경험했던 현실이기도 하다. 실제로도 여전히 내 주변에는 너무나 많은 여성들이 있고, 특정한 관계를 유지하며 살아가고 있다. '하지만, 한명의 여성과 깊은 관계를 맺고 정신적인 교감을 나누는 것이 사람에게는 반드시 필요하다.' 어쩌면 그 이유가 우리 사람이 모두 외로운 존재이기 때문일지도 모른다. 더불어 깊은 관계를 유지해 내기 위해서는 희생해야 하는 것들도 생긴다. 사랑하는 사람을 위해서 동시에 여러 명의 여자를 만날 수도 있지만 한명에게 집중하는 시간을 가질 수도 있는 것이다.

어쩌면 이러한 내츄럴들이 양면성을 이해하는 찌질한 남성(afc)들이 큰 생존의 위협을 느끼지 않고 안일한 태도를 유지하게 되는지도 모르겠다. 만약에 그들이 만나고 싶은 여성을 나 혼자서 독식을 한다면 그들은 분명히 위협을 느끼게 될 것이다. 우리의 경제적인 부가 상위 1%에 몰려있는 것처럼, (그렇기 때문에 부자에 대한 부정적인 시각을 갖고 있는 사람들이 많은것처럼), 만약에 내츄럴들이 동시에 모든 여자를 만나는 것이 당연하게 허용된다면 그제야 찌질한 남성들은 자신의 생존에 위협을 느끼게 될 것이다.

과거시대에는 '알파메일(alpha male)'이 자신이 원하는 모든 여성과 관계를 맺는 시대였다. 지금은 사회가 문명화되고 이러한 내츄럴들을 사회가 욕할 수 있는 시대가 되었지만 여전히 '내츄럴'들이 이성관계의 풍족함을 유지하며 살아가는 시대임은 분명하다.

결국 사회가 변했어도 여전히 '찌질한 남성'으로 이 시대를 살아가게 된다면 여성을 선택할 수 있는 가능성은 현저히 줄어들게 된다. 이 이성관계의 불균형과 그 심각성을 언젠가는 이해하게 될 것이다. 그리고 그것이 이해가 되는 순간 '사회탓'을 할 수밖에 없는 나약하고 찌질한 그리고 말 그대로 좌절한 자기 자신을 스스로 바라볼 수밖에 없을 것이다.

간혹 사람들은 어떻게 어디서 이런 여자를 만나게 되었냐고 질문을 할 때가 있다. 그 질문에 대답하는 것은 큰 의미가 없는듯하다. 내가 클럽에서 만났든 '어프로치'를 해서 만났든 그런 피상적인 결과는 크게 중요한 것이 아니기 때문이다.

그 속을 들여다보면 내가 그동안 만나온 여성들은 수백, 수천 명의 여성들 중에서 선택되고 선택되어져서 만나게 된 여성들이었다. 당연히 그 여성들이 매력적이고 당신이 만나고 싶은 여성일수밖에는 없다.

찌질함속에서 시작을 했기 때문에 나는 그 누구보다도 이 문명사회의 득을 많이 본 남성인 것 같다. 과거시대에 살았다면 '알파메일'의 여자친구에게 한 번이라도 어프로치를 했다면 죽었을 운명이기 때문이다. 그동안 나는 여성들에게 수만 번의 '어프로치'를 하면서 그 어떠한 수모나 수치도 겪지 않았고 잘 생존해있다. 그리고 그 과정 속에서 나는 더욱 강해졌고 내가 그토록 바라고 원했던 내츄럴의 길을 걷게 되었다.

여전히 생각만 하고 행동을 하지 않는 사람들이 많이 존재한다. 혹은 행동하는척하면서 생각으로 애쓰는 사람들도 많다. '행동해야 한다.' 사회의 안전망을 최대한 이용하면서 동시에 그 사회의 따가운 시선을 버텨내면서 본인이 이루고 싶은 간절한 소망을 이루어내야만 한다.

주변에서 '사업'을 해서 큰돈을 벌게 된 사람들을 보면 각종 세무조사와 세금으로 고통을 받게 되는 것을 본다. 큰돈을 벌 수 있는 사업은 모든 사람들이 참여해서 해야 하는 공적인 사업이 되거나, 혹은 TV에서 신랄한 비판과 함께 부정적인 인식을 만들어내어 아무도 할 수 없는 사업이 되야만 하는 것이 '사회의 안전망'이라는 것이다. 그 누구도 특별히 이득을 봐서도 안 되고, 그 누구도 특별히 손해를 봐서는 안 된다는 것이다.

이는 '이성관계'에서도 마찬가지이다. 사회는 이성관계에서 독보적인 성공을 누리며 살아가는 사람들에게 비난과 비판을 쏟아낸다. 더불어 사회의 흐름에 따라 여성들에게 이성관계에서의 더 많은 권력을 허락한다. 이것이 우리가 그토록 자랑하는 사회의 안전망이자 시스템인 것이다.

여자를 유혹하는 것이 '죄'라면 '죄인'이 되겠다는 결심은 이러한 사회의 안전망이나 시스템을 초월하기 위한 결심이다.

더불어 '높은 가치의 남성'을 추구해나가는 과정을 통해서 성범죄를 예방할 수가 있게 될 것이다. 왜냐하면 높은 가치의 남성은 강제로 할 필요가 없다. 풍족함 속에 있는 사람이 강제로 해야 하는 것이 아니라, 결핍한 사람이 강제로 해야만 하는 것이다.

과거에 '픽업아티스트'들을 잠재적 성폭행 범이라고 불렀는데 사실 이는 정말 웃긴 이야기이다. 내 주변에 실력이 있던 선수들중에는 잠재적인 성폭행범은 당연히 없었다. 더불어 전혀 성폭행을 할 필요도 없는 현실을 살아가는 사람들이 대부분이었다. 최근에도 한 유명가수가 룸살롱에서 성폭행을 했다고 고소를 당했는데 결국 무죄를 선언 받은 후에 무고죄로 상대 여성을 고소했다. 어쩌면 사회의 안전망을 통해 자신들의 권력을 유지하려는 것은 일부의 페미니스트들이지 남성들이 아닐지도 모른다. 오히려 많은 남성들은 사회적인 거세를 통해 남성성을 상실하고 찌질한 남성으로서 삶을 살아가고 있다. 사회에 순종적이고 순응하는 양처럼 살다 이제 와서 '양성평등', '역차별 반대' 등을 외치고 있는 수준인 것이다.

내가 하고 싶은 말은 여자를 만나고 싶으면 만나면 된다. 그리고 사랑받고 인정받을만한 수준에 오르라는 것이다. 마치 돈을 벌고 싶으면 돈을 벌면 된다는 것이다. '돈'에만 집착하지 말고 돈을 벌 수 있는 능력을 키워나간다면 시간이 지나면 지날수록 더 많은 돈을 벌게 될 것이다. 이성관계도 능력이고 그 능력을 지금부터라도 키워나가야 한다.

그리고 행복은 미래에 있는 것이 아니라 지금 이 순간에 존재한다는 사실을 항상 명심했으면 좋겠다. 지금 자신이 하는 모든 과정을 즐기고 한걸음씩 나아갈 때에 그 자체가 이미 성장이고 행복일수가 있다.

먼 미래에 행복이 있다는 생각은 우리의 지금을 불행하게 만든다. 그렇다고 해서 단순히 쾌락만을 추구해서는 안 될 것이다. 자신의 삶에서 의미 있고 가치 있는 것을 찾아 그것을 행하면 된다. 나에게는 '이성관계'가 그 의미와 가치였을 뿐이다. 그리고 결국 내가 바라던 것이 나를 가장 가치 있게 만들어 내었다.

■ 제 15장: 초월적 사고방식, Meta-Frame

　기존의 행동과 사고방식을 유지하면서 변할 수는 없다. 변화를 위해서는 반드시 자신의 행동과 사고방식을 그에 걸맞게 변화시켜야만 한다. 더불어 습관이 변한다고 해서 그것은 자기 자신을 잃는 것은 아니다. 많은 사람들이 변화하지 않기 위해서, "나는 원래 이런 사람이에요."와 같은 멍청한 핑계를 대고 있다. 심지어 그 말을 100% 확신을 갖고 일관되게 믿는 경향이 있다.

　예를 들어서 처음부터 흡연가인 사람은 없다. 그 누구도 태어날 때부터 담배를 피우지 않는다. "원래 이런 사람이에요."라는 변명을 하기 위해서는 모두가 흡연가가 아닌 금연가가 되어야만 할 것이다. 그럼에도 불구하고 너무나도 많은 사람들이, "나는 원래 이런 사람이에요."라는 합리화와 정당화속에 빠져서 살아간다.

　사실 유치원시절에는 우리는 누구에게든지 쉽게 접근했고 친해질 수가 있었다. 만약에 진짜 원래대로 돌아간다면 그런 사람이 되어야 하는 것이지 아름다운 여성 앞에서 긴장하고 불안에 떨고 있는 사람이 되어서는 안 될 것이다.

　원래 우리는 태어날 때부터 충분했고 합당한 사람이었다. 하지만 살아가면서 이 사회의 세뇌 속에서 우리는 비교와 판단을 당하게 되었고, 스스로 충분하고 합당하지 않은 존재임을 학습해왔다.

　우리는 '소비자'가 되었다. 그리고 소비를 하기 위해서는 '부족함'을 느껴야만 한다. 실제로 부족한 사람들도 있지만, 부족하지 않은 사람들까지도 그러한 결핍한 감정 상태를 경험하면서 살아간다. 심지어 그러한 결핍함을 매번 강화시킨다. 'Consumerism'의 함정은 이와 같다. "10개의 멋진 신발을 갖고 있는 사람에게 11번째 신발을 사게 만들기 위해서는 11번째 신발이 없다면 부족하다는 느낌을 갖도록 만들어야한다는 것이다." 물론 기업인들은 이러한 임무를 매우 성공적으로 완성 해내는 것처럼 느껴진다.

　우리는 소비자가 되었다. 소비자의 정체성을 갖고 이 사회를 살아간다. 심지어 자신이 그러한 정체성을 갖고 있다는 사실조차 인지하지 못한다. 그저 자신이 부족하다는 느낌만을 갖고 살아간다. '소비'를 할 때에는 기분 좋은 감정을 느끼게 되고 얼마 지나지 않아 그 기분 좋은 감정은 사라지게 된다. 그러면 다시 소비를 하게 되고, 좋은 감정을 얻기 위해서는 지속적인 소비를 해야만 하는 부족하고 결핍한 존재로서 삶을 살아가게 된다.

이 부족하다는 느낌, 혹은 결핍하다는 느낌은 잘 지워지지가 않는다. 그렇기 때문에 이러한 삶의 공허함이나 구멍을 채워 넣기 위한 삶을 살아가게 된다. 아무리 피상적으로 완벽해 보이는 사람이라고 할지라도 이러한 소비자의 정체성속에서 살아간다면 항상 '부족하다는 느낌'에서부터 벗어날 수가 없을 것이다.

그리고 소비하면 소비할수록 더욱 결핍함은 강화가 된다. 더불어 그 결핍함을 해결하는 것이 '소비'하는 것이라고 더욱 강하게 믿게 된다. 왜냐하면 소비를 하는 순간만큼은 '풍족함'을 느끼기 때문이다. 그러한 마음의 평화나 풍족함이 우리 인간의 기본적인 마음 상태라는 사실을 잊은 지는 이미 오래전이다. 소비를 해야만 마음의 풍족함을 느낄 수 있다는 생각에서 벗어나기란 참으로 불가능해 보인다. 즉, 우리는 풍족함이라는 가치에 도달할 수 없는 방식으로 그 가치에 도달하기 위한 삶을 살아가고 있다.

"나는 충분하다." 혹은 "나는 합당하다."라는 마음을 가질 수 있다면 얼마나 좋을까? 우리는 이성 관계에서도 그 여성과 잘 되기 위한 사회적인 혹은 논리적인 이유를 찾는다. 예를 들어 뚱뚱한 사람이 아름다운 여자랑 데이트를 하는 것을 목격하면 사람들은, "저 남자는 돈이 많을 거야."라는 선입견으로 그 커플을 바라본다. 사실은 여자가 그 남자보다 더 돈이 많을수도 있는 법이다.

우리는 소비자로서 이 사회를 살아간다. 그 믿음, 확고함, 일관성은 어마무시하고 절대로 그 소비자로서의 삶을 포기하지 않는다. 그것은 곧 "나는 부족하다."라는 느낌에서 벗어날 수가 없다는 것을 의미한다. 항상 채워 넣어야만 하고, 소비를 해야만 하고, 사회적으로 인정받을 수 있는 피상적인 증거물이 필요하다. 사회에 속한 우리들은 자기 자신을 믿는 방향성이 아닌, 자신을 믿지 못하는 방향성을 걸어가고 있는 것이다.

우리가 믿을 것은 사회의 인정이고 사회가 말하는 풍족함의 가치이다. 그렇기 때문에 계속해서 외부로부터 자신감을 끌어오려고 노력을 하게 된다. 사람들의 인정을 갈구하게 되고 심지어 애원도 하고 구걸까지 한다. 이 모든 것은 '외부로부터' 자신감을 얻기 위함이다. 이렇게 모든 사람들은 점점 더 대응적인 존재가 되어가고, 아무리 인정을 받는다고 할지라도 계속적인 마음의 배고픔에 허덕이게 되는 것이다.

"우리에게 필요한 것은 새로운 '문화'이다."

과거에 중국 여성들은 발이 작은 것을 아름다움이라 여겨 자신의 발을 학대해가면서 발을 작게 만들었다. 그리고 그것을 아름다움이라 여겼고, 작은 발을 아내로 맞이하는 남성들은 큰 자부심을 느꼈다고 한다.

과거에 아프리카에서는 여성의 클리토리스를 잘라내어 쾌락을 절제하고 가정에 충실하도록 하는 문화를 지지하였다. 심지어 그러한 여성성인식을 거친 여성들을 좋은 시선으로 바라보았다. 여전히 이러한 여성할례의식은 아프리카의 몇몇 국가에 남아있다.

과거에 에스키모인들은 태어나는 여아를 살해하는 문화가 있었다고 한다. 심지어 여아를 살해한다고 할지라도 그 누구도 그것에 대해 죄책감을 갖거나 문제를 삼지는 않았다. 에스키모인들은 사람이 살기에 거의 불가능한 환경 속에서 생존을 하였고, 남성들이 위험한 사냥을 하면서 많이 죽었기 때문에 남녀비율을 맞추고 모두의 생존을 위해서 여아를 살해할 수밖에 없었다. 사냥을 하는 남자는 적은데 먹일 식구가 많아지면 결국 모두가 위험해질 수밖에 없었기 때문이다.

우리도 어쩌면 이처럼 이해가 안 되는 '문화적 상대주의'속에서 현대사회를 살아가고 있는 것은 아닐까? 물론 지금 상태에서는 모든 것이 정상이고 윤리적으로도 옳다는 믿음 속에서 살아갈 수도 있다. 하지만, 시간이 지나거나 혹은 과거에서 현대인의 삶을 바라본다면 우리가 다른 나라의 문화를 이해하기 어려운 것처럼 그들도 우리의 현재 문화를 이해하기 어려울 수도 있다. 그 대표적인 문화가 바로 이 소비자문화(consumerism)라는 생각을 해보게 된다.

모두가 부족하다고 느끼는 마음의 상태를 갖고 있는 문화, 그리고 그렇기 때문에 소비를 해야 만하고, 소비를 함으로서 자신의 마음의 상태를 아주 잠시 동안 풍족한 느낌으로 채워 넣을 수 있는 문화가 정상이라고 말하기는 매우 어려울 것이다.

우리는 그렇게 항상 소비를 해야만 하고, 항상 부족하다는 느낌 속에서 살아갈 수밖에 없다. 이 문화를 대체하고 변화시키기 위해서는 랄프 왈도 에머슨의 '자기신뢰'나 에크하르트 톨레의 '지금 이 순간을 살아라'와 같은 서적들이 우리에게 좋은 긍정적인 영향을 주지는 않을까란 고민을 해보게 된다.

더불어 문화평론가들이 말하는 문화중 가장 큰 바이러스라고 말하는 '관객문화(spectatortism)' 역시 우리를 매우 대응적인 존재로 몰아 서게 하고 있다.

우리가 살아가는 사회는 명령을 하는 사람은 많고, 책상에서 일하는 사람은 많다. 하지만, 실제로 노동을 하는 사람은 적다고 한다. 이성관계에서 공부를 하고, 멘트를 외우고, 세미나를 듣는 사람은 많은데 실제적으로 '행동'하는 사람은 적다는 것이다.

심지어 '실전코칭'을 받으러 오는 사람들 중에는 자신이 행동하기 위해서가 아니라 강사가 '어프로치'를 하는 것을 관객처럼 구경하기 위해서 오는 사람들도 있다. 그러니까 국가대표선수가 되어서 축구경기를 뛰어야하는데 '감독'이나 '코치'가 그 경기를 뛰는 것을 구경하고 자신은 벤치에 앉아서 그것을 구경하겠다는 것이다. 사람들은 이제 자신이 '영웅'이 되기를 바라기 보다는 '영웅의 탄생'을 기다리고 누군가가 자신을 대체해서 '영웅'이 되어주기를 바란다. 그리고 그 영웅이 자신의 삶을 구원해주기를 바라는 것이다.

"이성 관계에서 자신이 직접 어프로치를 하지 않으면 그 어떠한 영광도 누릴 수가 없는 법이다." 물론 이성관계전문가를 만나 이성관계, 자신감, 그리고 소통에 대해서 배우려고 할 때에 모든 선택은 본인에게 달려있다. 자신이 누구에게 배우고 지도를 받을 수 있는지를 선택할 수가 있다는 것이다.

당연히 해당 분야에서 정말 신뢰할 수 있고 실제로 '성공경험'이 엄청난 '전문가'를 찾아야하는 것은 너무나도 당연한 이야기이다. 그리고 배우는 과정 속에서는 코치가 자신의 영웅이 되는 것이 아니라, 스스로가 자신의 삶의 영웅이 되기 위해 노력하며 올바른 방향성으로 나아가야한다는 것이다.

현대인들의 삶을 지배하고 있는 '소비자문화'와 '관객문화'에서 의식적으로 벗어나지 않는다면 우리는 평생을 이 사회가 영향을 끼치는 이 두 가지 문화에 빠져서 항상 결핍한 상태에서 구경만 하며 인생을 낭비하는 존재로 살아가게 될 것이다.

대응적인 삶의 문화가 아닌 '주도적인 삶의 문화'속에서 살아가는 사람들은 자신의 삶은 항상 선택과 집중의 문제이다. 자신이 어떠한 행동과 사고방식을 선택하고 그것에 집중할지는 모두 본인의 책임이고 자기 자신에게 달려있다는 것이다. 그렇기 때문에 그 누구보다도 자기 자신을 신뢰하고 믿는다.

대표적으로 주도적인 삶의 문화 속에서 살아가고 있는 한 유명 패션 디자이너는 과거에 자신의 삶을 회상하며 이렇게 이야기를 한다. 인생의 한 순간에 그는 고민에 빠졌다고 한다. 계속해서 자신이 잘하는 성악을 할 것인지, 혹은 패션 디자이너에 도전을 할 것인지에 대해 진지한 고민에 빠진 것이다. 처음에 그는 둘 다 잘해보려고 했다고 한다. 하지만, 그의 아버지는 그에게, "한 번에 두 의자에 동시에 앉을 수는 없는 법이다."라는 조언을 해주었고, 결국 그는 동전을 던져 자신의 삶을 선택했다고 하였다. 동전을 던진 결과 그는 패션 디자이너로서의 삶을 걷게 되었고 결국에 크게 성공하여 굉장히 훌륭한 패션 디자이너가 되었다. 한 기자는 그에게 이렇게 이야기를 하였다. "정말 운이 좋았군요. 동전을 던져서 '패션 디자이너'가 되기로 선택한 것은 최고의 선택 이였어요." 그러자 패션 디자이너는 이렇게 답했다고 한다. "아니요. 만약에 제가 성악가가 되었더라도 저는 지금처럼 훌륭한 사람이 되었을 겁니다."

라고 말이다.

이 일화를 통해 우리는 주도적인 삶을 살아가는 사람들의 태도를 배워야만 할 것이다. 이 책을 쓰고 있는 나 역시 모든 면에서 완벽한 사람은 아니다. 특정 분야에서 만큼은 분명 나보다 훨씬 더 위대하고 훌륭한 사람들이 존재할 것이다. 다만 나는 내 인생에서 가장 열정적 이였던 20대 전부를 '이성 관계'라는 분야에 몰두하였다. 그 결과 '이성관계'에서 다른 사람과 비교불가한 지식과 경험을 갖게 되었다.

더불어 모든 남성들이 '이성관계'에만 올인을 하고 살아야한다고는 생각하지 않는다. 다만 주도적으로 '선택'하고 자신이 원하는 것에 '집중'하며 살아가기를 바랄뿐이다.

나 역시 이제는 개인의 '이성관계'에만 집중하는 것이 아니라 '어떻게 교육을 하고 가르칠 것인가?'에 더 많은 집중을 하며 살아간다. 그 결과로서 나를 찾아오는 수강생들에게 큰 도움이 되는 코치가 되기를 바라고 있다.

자신이 선택한 것이 무엇이든지 그 분야에서 최고가 되기로 결심하라. 이러한 자세야말로 성공적인 삶을 살기위해 굉장히 중요한 태도라고 할 수가 있다. **"Commit to Excellence."** 대부분의 남성들은 올바른 방향으로 걸어가기만 한다면 3달 정도 이내에 이성관계에서 성공적인 결과들과 만족할만한 성과를 누리며 살아갈 수가 있다고 생각을 한다. 물론 '스스로를 믿지 못하는 사람'에 따라서는 6달 정도가 소요되기도 한다. 교육을 하면서 반복적으로 경험하는 현실은 동일한 사람이라고 할지라도 '믿는 순간'에는 결과가 나오고, '믿지 않는 순간'에는 결과가 나타나지 않는 것이다. 그렇기 때문에 그 무엇보다도 중요한 것은 '멘트' 따위가 아니라는 생각을 하게 된다. 진짜 중요한 것은 '메타 프레임(meta-frame)'이다. 이는 자신의 기존 사고방식을 초월해 새로운 사고방식으로서 살아가는 것을 뜻한다. 그것은 곧 새로운 믿음을 갖는 것이고, 스스로에게 도움이 되는 삶의 문화를 만들어내는 것이다.

물론 이 문화의 정당성을 혼자서는 절대로 주장할 수는 없다. 하지만 많은 사람들이 그러한 문화에 동의할 수가 있고, 부분적으로라도 사회에 받아들여질 수만 있다면 그 문화는 곧 허용이 된다. 불과 10년 전까지만 하더라도 '동성애'의 문화는 사회적으로 굉장히 큰 불쾌감을 주는 것 이였지만 현재는 사회에서 '동성애'를 부분적으로 수용하고 있음을 이해할 수가 있다. 왜냐하면 서울시청 앞에서 그들만의 축제를 벌이고 서울시에서 그들에게 예산을 지원해주고 있기 때문이다.

하지만, 문화가 발생하기 이전에 이러한 패러다임이나 새로운 행동 및 사고방식이 우리의 삶에 실제적으로 얼마나 큰 도움이 될 수 있는지를 고려해봐야만 한다. 더불어 그러한 삶의 방식이 다른 사람들에게 범죄를 저지르는 형태로서 나타나서는 안 될 것이다. 윤리적으로 정당함을 주장할 수 있고 이러한 '문화'가 우리의 삶에 도움이 된다면 이후에는 이 문화에 많은 사람들을 참여시키는 것이 굉장히 중요할 것이다.

다만 이러한 문화의 초월은 '소수의 인원'이 비밀로 유지하고 있을 때에만 큰 이득이 되어 돌아올 수도 있다. 그렇기 때문에 이미 나부터 이러한 가르침을 퍼뜨리기 위해서 엄청난 노력을 하는 것이 아니라 소수의 인원에게만 선택적으로 가르쳐도 괜찮다는 사고방식을 유지하고 있기는 하다.

그리고 이미 이 책에서 주장하는 철학이나 사상들은 다른 사상가들이나 지도자들에 의해서 전파된 내용들이다. 실제로 소비자문화를 대체할 수 있는 철학이나 사상은 '자기신뢰의 문화'인데 이는 이미 랄프 왈도 에머슨에 의해서 미국 전역에 퍼진 사상이기도 하다. 실제로 미국 전 대통령인 오바마가 가장 많이 읽은 책이 바로 에머슨의 자기신뢰라고 한다.

전 세계적으로도 이러한 '자기신뢰 문화(소비자문화의 저항)'나 '자기영웅 문화(관객주의 저항)' 등은 이미 그 영향력을 크게 발휘해내고 있다. 다만 한국문화에서는 이러한 문화들이 잘 받아들여지지 않고 있을 뿐이다. 항상 피상적인 것이나 결과적인 것만이 중요시되는 사회와 문화 속에서 눈에 보이지 않는 이러한 가치들을 크게 의미 있게 생각하지 않는 것이다.

'Consumerism' 그렇기 때문에 사람들은 그냥 그 문화 그대로 항상 결핍함과 부족함을 느끼면서 그러한 감정을 순간적으로 채우기 위한 문화에 지배당하며 살아간다. 자기 자신을 스스로 신뢰하면서 삶의 한순간 한순간을 충실하게 사는 방향성을 선택하는 것은 본인의 자유이다.

'Spectatortism' 그리고 너무나도 많은 사람들이 관객처럼 자신의 삶을 방관하는 문화 속에 **빠져** 살아간다. 이러한 문화 속에서는 생각에 잠기게 되고 실제로 행동을 하지는 않고, 구원자를 바라면서 정당화와 자기합리화를 멈추지 않으며, 사회와 남탓을 하면서 모두가 평등하고 공평한 공산주의식의 유토피아를 상상하게 된다. 우리가 사는 사회는 민주주의 사회이며 '자유경쟁'이 강조가 되는 사회이다. 그렇기 때문에 이러한 방관자의 대응적인 삶에서 벗어나 자신이 스스로의 삶의 주인공의 자리에 앉아 주인공이 되기를 선택하고, 스스로의 삶을 주도적으로 이끌어 가야한다고 믿는다. 그러한 행위 속에서 다른 사람들보다 더 눈에 띄고 주목을 받을 것이고 때로는 무차별적인 실패와 거절을 직접적으로 경험하게 될 것이다. 그럼에도 불구하고 스스로가 자신을 구원하는 영웅이 되어야 한다.

결국 선택은 본인이 하는 것이고, 그에 대한 책임도 100% 자신이 짊어져야만 한다. 무엇에 집중하여 어떠한 방식의 삶을 살아갈 것인지는 온전히 자기 자신에게 달려있다.

그 누구를 욕할 수도 없고, 탓할 수도 없다. 자신의 삶의 Lifestyle은 본인의 선택이며 책임인 것이다. YMC 에서는 특정한 방향성을 가리키고 있다. 시간이 흐르면 흐를수록 방향성 차이에 따라 큰 결과의 차이가 나타나게 될 것이다. '자기신뢰'속에 '주인공으로서의 삶'을 살아갈 것인지, 아니면 '결핍함'속에 '관객으로서의 삶'을 살아갈 것인지는 모두 자기 자신에게 달려있는 것이다.

이 책을 통해 새로운 문화에 대한 인식과 선택할 수 있는 기회를 주고자 한다.

◎ Meta-Frame: '라이프코칭'을 통해 인생의 새로운 현실을 창조하다.

"이성애자가 되는 것이 '죄'라면 나는 '죄인'으로서 살아가겠다." 우리 사회는 2017년 현재 어쩌면 이성애자를 극단적인 구석으로 몰고 가는 것이 아닌가라는 생각이 든다. 사회복지에서는 '저출산문제'와 '결혼률저하' 등을 문제 삼으면서도 여전히 결혼은 물론이고 연애를 하기에도 굉장히 어려운 구조와 사회분위기를 형성해나가고 있다.

진실로 이 사회나 국가가 저출산문제를 해결하고는 싶어 하는지 이해하는 것은 굉장히 어렵다. 어쨌든 이성애자로서 여자를 좋아하고 여자들이 나를 좋아하게 하는 것이 마치 죄와 같다는 느낌을 오랫동안 지울 수가 없었다.

나도 내가 정말 좋아하는 여자를 만나게 되면 바람을 안 핀다. 아무리 내가 많은 여성을 만날 수 있는 능력이 있다고 할지라도 말이다. 이 사회는 남자들에게 능력을 갖추고 노력을 해서 여성을 만나라고 한다. 이성관계의 모든 책임이 남자에게 달려있는 것처럼 이야기를 한다. 그리고 항상 여성들은 피해자이고 남성들은 잠재적인 가해자인 것처럼 이야기를 한다.

여성을 유혹할 수 있는 능력은 '남성'에게는 필수적인 능력이다. 그것은 곧 인류의 생존과도 직결이 된다. 남성은 본능적으로 많은 여성들을 유혹하고 싶어 한다. 그것이 우리 인류가 생존해온 이유이기도 하다. 그러한 본능을 나쁘다고 할 수는 없다. 하지만 그러한 본능적인 욕구를 능력으로 직결시켜 성장하려는 사람들을 '사회'와 '미디어'는 짓밟는다. 왜냐하면 남성들에게 여성을 선택할 수 있는 풍족함이나 경쟁력이 생겨버리면 여성들도 남자의 '헌신'을 얻어내기 위해 노력을 해야 하기 때문이다. 높은 가치의 남성을 자신에게 순종하는 것이 당연한 사회적 분위기를 만들어냄으로서 여성들은 더 이상 남성의 헌신을 얻어내기 위해서 노력하지 않아도 된다. 남성들이 알아서 '애원'을 할 것이기 때문이다. 이것이 바로 우리 사회의 현 시스템이라고 생각을 한다.

여자를 많이 만날 수 있는 가장 직접적인 방법은 여성에게 계속적으로 '접근'을 하는 것이다. 하지만 우리 사회는 남성들이 그러한 능력을 대놓고 키울 수 있도록 허락하지 않는다. 여성에게 접근하는 것이 나쁘다는 식으로 여론을 몰고 가서 그러한 행위를 하는 남성들을 창피하게 만들어낸다. 그렇기 때문에 대부분의 남성들이 '어프로치'를 하지 않는다. 여성에게 '접근'하지 않고 어떻게 이성애자가 될 수 있겠고, 성공적인 이성관계를 구축할 수 있겠는가?

그렇다고 해서 여성들이 남성에게 '접근'하지 않는다. 왜냐하면 본래 이성관계의 시스템은 남성은 최대한 많은 여성들에게 접근을 하고, 여성은 자신에게 접근하는 남성들 중에서 최고의 남성을 선택하는 것이었다. 이것이 가장 바람직하고 이상적인 형태의 시스템이라고 생각을 한다.

하지만, 우리 사회는 남성들이 여성이 접근하기를 기다리는 세대이고, 여성들도 여전히 남성들이 먼저 접근하기를 기다린다. 그렇기 때문에 오직 지속적인 '접근'을 하면서 경험을 쌓고 성장을 하는 남성들만이 여성에게 '선택될 수 있는 기회'를 맞이하게 된다.

더불어 여성이 자신에게 접근한 남성들 중에 최고를 선택하기만 하는 것이 전부가 아니다. 이 부분을 명심해야만 한다. 여성들은 자신에게 접근해온 최고의 남성의 마음이 자신에게 머물도록 그 남성의 '헌신'을 얻어내야만 한다. 그 남성의 '헌신'을 얻어내기 위해서는 여성들도 분명히 노력을 해야만 한다. 단순히 바라기만 해서는 안 될 것이다. 선택권이 많은 높은 가치의 '매력적인 남성'들은 대부분 여성에게 헌신하려고 하지 않는다. 왜냐하면 희생해야하는 것이 너무나도 많다고 느끼기 때문이다. 그렇다고 해서 여성들은 이러한 남성들의 태도만을 문제 삼아서도 안 될 것이다. 왜냐하면 여성들도 분명히 남성을 헌신을 얻기 위한 방법을 찾아내야 하며 '남성의 어프로치 문화'와 함께 이러한 특정 문화가 함께 경쟁하며 발전해나가야만 하기 때문이다. 단순히 '어프로치'를 하는 남성들이 쓰레기라는 혹은 죄인이라는 사회적인 편견만을 만들어내는 것이 가장 지혜로운 답은 절대로 아니다.

우리 사회에서는 여성들의 책임이나 노력을 싹 빼버리고, 남성들의 책임과 헌시만을 강조한다. 그러면 그럴수록 남성들은 점점 더 이성관계로부터 멀어질 수밖에 없다. 물론 그 욕구는 여전히 남아있다. 남자들도 여자를 만나고 싶어 하고, 여자들도 남자를 만나고 싶어 한다. 하지만 그 시작이나 과정이 너무나도 어렵고 그 결말도 아름답지 않은 경우가 너무나도 많은 것이다.

남자들이 여성에게 헌신하지 않고 단기적인 만남만을 추구하는 것은 사회의 문제와 여성들의 문제도 있다. 그것을 남자들의 문제만으로 몰아세워서는 안 될 것이다.

단기적인 만남만을 추구하다보면 남성들도 분명히 그러한 관계에서부터 오는 공허함과 무의미함을 느끼게 된다. 그리고 정말 사랑하는 사람을 만나고 싶은 바램을 갖게 된다. 그렇지만 이성관계에서 우리 사회의 가장 핵심적이고 본질적인 문제는 남자만이 여자의 마음을 얻기 위해 모든 애원, 노력, 그리고 헌신을 다해야하고, 여자들은 그런 남자 중에서 그저 선택만 하면 된다는 이상한 문화에서부터 비롯된다고 본다. 그에 대한 결과로서 여자들은 남자가 자신을 좋아하게 하는 법을 모르고 그러한 현실을 만들기 위해서 노력조차 하지 않는다.

분명히 여성들 중에는 남성이 자신을 좋아하게 만들어 버리는 능력을 가진 여성들이 존재한다. 그런 여성들은 정말 사랑해주고 싶고, 그 사랑이 아깝지가 않다.

우리나라에서 이성관계가 어려워진 이유 중 가장 큰 원인이 바로 '일방적인 노력' 속에서 나타난다는 생각이 든다. 정말 우리나라는 여성들이 군대를 가지 않는 한 이러한 이성관계의 본질적인 문제들이 해결되지 않을 것처럼까지도 느껴진다.

이러한 흐름 속에서 당연히 남성들은 여자들이 자신을 좋아하게 만드는 능력을 계발하게 되었다. '픽업아티스트'가 화제가 된 것도 결국 이러한 사회의 분위기와 흐름에 대한 '저항'일 뿐이다. 왜냐하면 그 길만이 어떤 남성들에게는 일반 여자를 만날 수 있는 가장 좋은 기회를 스스로에게 허락하는 방향성이였기 때문이다. 물론 이러한 남성들은 사회적인 죄인으로서 낙인이 찍혔지만 그럼에도 불구하고 여전히 우리에게는 적절한 대안이 요구되어지고 있다. 그리고 그 '적절한 대안'이 나타나기만 한다면 아마도 모든 대한민국의 남성들이 그 길을 걸어가기 위해 노력하기 시작할 것이다. 여성들은 이러한 움직임에 대해서 불평만 할 것이 아니라 여성들도 어떻게 하면 남성들의 마음을 얻을 수 있을지에 대한 고민을 하고, 배우고, 행동을 했으면 하는 바램이다. 애초에 내가 바랬던 것은 '사랑하는 여성의 마음을 얻는 것'이였고, 성공적인 이성애자가 되는 것이었다. 그것은 누군가를 속이거나 사기를 쳐서 이루어 낼 수 있는 것 이라고 애초부터 생각하지도 않았다. 내 모든 것을 변화시켜 진실로 합당하고 충분한 그러한 매력적인 남성이, 그리고 사랑받을 수밖에 없는 남성이 되기를 바랬던 것이다.

◎ 어린 시절의 나는 찌질하고 결핍한 삶 속에서 허우적거렸다.

나는 여성들을 문제 삼지 않았고, 사회를 탓하지도 않았다. 모든 것을 나의 문제로 보았고 목숨을 걸고 내 자신을 변화시키기로 결단하였다. 그리고 남성이든지 여성이든지 이러한 현실은 모두에게 동일하게 적용되어진다고 생각을 한다.

결혼정보회사를 운영한 한 CEO가 이러한 말을 남겼다. "이성 관계를 위해 노력하지도 않으면서 자신을 있는 그대로의 모습으로 사랑해주기를 바라는 사람들은 절대 결혼에 성공하지 못한다." 그는 실제로 결혼정보회사에서 남겨지는 사람들을 만났고 직접적으로 느낀 이후에 이러한 말을 남긴 것이다.

남자도 이성 관계를 위해 노력을 해야 하고, 여자도 이성 관계를 위해 노력을 해야 한다. 우리 사회는 노력을 하지 않는 사회가 되어버렸지만 말이다. 혹은 남자들만 노력하고 헌신해야한다고 말을 하고 있는 분위기가 이어지기도 한다.

나 역시 수많은 시행착오와 20대의 모든 시간과 벌어들인 돈을 투자한 끝에 변화를 맞보게 되었다. 그리고 마침내 내 삶이 변화되었다고 말할 수가 있었다. 나는 이성관계의 성공과 행복을 경험했고, 남자로서의 자신감과 매력을 키워냈으며, 사람들과의 소통능력도 향상시키게 되었다. 정체성 수준의 변화를 경험하게 된 것이다.

　YMC의 코치가 된 계기는 이렇게 찌질 했고 바보 같았던 내 자신이 변하고 나니 내 주변의 모든 남성들도 변화를 할 수 있다는 믿음이 생겼기 때문이다.

　이러한 확고한 믿음은 곧 그 믿음에 대한 전파로 이어졌고, 그 믿음 안에서 다른 사람들에게 도움을 주다보니 반복적인 현실을 통해 이러한 믿음은 더욱 강화가 되어왔다.

"이렇게 찌질 했던 내가 변했다면 도대체 누가 변하지 않을 수가 있을까?"

이성 관계에서의 성공과 행복을 추구하며 YMC를 찾아온 많은 남성들이 새로운 패러다임을 얻게 되었고 삶의 터닝 포인트를 맞이하게 된다. 처음부터 나는 코치가 되기 위해서 '이성관계의 성공과 행복'을 바랬던 것은 절대 아니었다. 나는 나 자신을 위해서 그러한 목표를 바랬었다. 매일같이 종이위에 적었던 내 삶의 확고한 목표는, "사랑하는 사람과의 만남" 그리고 "매력적인 남성으로의 성장"이었다. 정말 이 목표를 위해서 나는 내 20대의 모든 것을 희생했다. 더불어 몇 번씩이나 강사 제의가 있었지만 2년 동안은 그러한 제의를 모두 거절했었다.

그러던 중에 내가 이성관계의 성공과 행복을 추구하면서 그동안 겪어온 어려움들이나 시행착오를 빠르게 극복할 수 있고, 다른 사람들에게 도움을 주는 것에 대한 즐거움을 느끼기 시작하면서 '강사'가 되기로 결심을 하게 되었다. 더불어 인생의 한 시점에서는 정말 이성관계전문가로서 부끄럽지 않았다. 나는 강사로서도 당당했고 그에 대한 자기확신과 신뢰가 넘쳐났다. 누구를 가르쳐도 최선을 다해서 큰 도움이 될 것이라고 스스로를 믿게 되었다.

그렇게 2010년 10월 달에 '강사'로서 사람들에게 이성관계의 성공과 행복에 대해 가르치기 시작하였다. 비록 다른 사람들과 함께 새로운 관점을 키워내는 것이나 정신적인 근력을 단련시키는 과정이 쉽지는 않았다. 그럼에도 불구하고 교육을 하는 능력을 계속적으로 키워와 어떠한 방향성과 전략 속에서 사람들을 가르치고 도와주어야하는지에 대한 확실한 이해를 키워 낼 수가 있었다.

많은 사람들이 중도에 포기하고 때로는 강사활동을 멈췄다가 다시 돌아오곤 했지만 나는 불황속에서도 우직하게 나의 길을 걸었다. 그 결과 더더욱 많은 수강생들이 나를 찾아오게 되었고, 나는 그들을 이성관계의 성공으로 인도해주었다. 많은 남성들에 옆에서 그들의 삶을 보좌하고 함께 '정상'을 향해 나아갈 수 있음을 참으로 감사하며 살아간다.

수많은 남성들이 이성관계의 결핍에서부터 시작하여 풍족함을 누리는 것을 내 눈으로 직접 목격하게 되었고 그들이 변했다는 사실에 대한 '산 증인'이 되기도 하였다.

■ 제 16장: 예스맨클럽 YMC 라이프코칭 이성관계전문가 '고수'

이 책을 통해서 나는 그동안 YMC 가 이성 관계 분야에 있어서 추구해온 본질적이고 진리적인 방향성과 전략 등에 대해서 이야기를 하였다. 여성들은 매력적인 남성을 매력적다는 이유로 거부할 수는 없을 것이다. 어떠한 '남성성'이 여성들에게 본능적으로 받아들여지고, 여성들이 매력을 느끼게 될 수 있을지에 대해 지속적인 연구와 행동을 해왔다. 그리고 그러한 현실을 이 책에 담기를 바랬다.

특정한 방향성과 전략 속에서 더욱 강한 존재감과 영향력을 발휘한다면 그것은 곧 '관계'뿐만이 아닌 '인생'의 전반적인 영역에까지 긍정적인 효과를 나타내게 될 것이다.

우리가 살아가는 사회의 시스템이란 '실제적인 노동'을 하는 사람은 없고 모두가 명령하고 지켜보는 것에 익숙한 시스템이다. 간혹 남성들만이 그 '실제적인 노동'에 대한 책임을 짊어지는 대상이 되기도 한다. 이러한 시스템이 이성 관계에도 그대로 적용되어 나타나고 있다.

팔에 깊은 상처가 생기면 그 상처를 가린다고 해서 문제는 해결되지 않는다. 그럼에도 불구하고 우리 사회는 그저 가려 놓는 것에 익숙한 것처럼 느껴진다. YMC 에서는 본질적인 변화를 추구한다. 그렇기 때문에 멘트와 마술을 버리고 오로지 100% 내츄럴(natural)이 될 수 있는 방법에 전념해왔다. "나 그 자체로 매력적인 남성", 그리고 "나라는 존재감과 영향력이 무의식적으로 발휘되어지는 남성"이 되는 것에 초점을 맞춘 것이다.

이러한 YMC의 컨텐츠는 한국에서 찾아볼 수 없는 독보적인 것이다. 더불어 인생의 어떤 분야에 적용을 시켜도 좋은 결과를 맛볼 수가 있을 것이다. 다만 YMC에서는 현재 '이성관계'에만 그 모든 초점을 맞추고 있다.

YMC에서 수강을 한 많은 사람들이 여자 친구가 생긴 것뿐만이 아니라 인생에 대한 관점을 바꿀 수가 있어서 수업이 큰 도움이 되었다고 한다. 헬조선이라는 시각에서 벗어나 모두가 자신의 삶의 주인공으로서 하루하루 충실히 살아갈 수 있었으면 하는 바램이 있다.

"YMC 훈련법"

<u>YMC에서 그룹 코칭을 진행하게 되면서 다양한 훈련법을 실시하게 된다.</u>

    교육을 한다는 것은 머리로 이해하게 하기 위함이 아니라, 몸으로서 습득하게 하려함이다. 몸의 습관으로서 몸이 기억하게 하면 무의식적으로 필요한 순간에 자신의 능력을 발휘하게 된다.

    그렇기 때문에 지속적인 반복훈련만큼 중요한 것은 없다. Natural 의 수준에 도달하기 위한 훈련법에는 무엇이 있는지 끊임없이 찾아내고 또 찾아낸 결과로서 '영향력'과 '존재감'을 발휘할 수밖에 없는 무의식적인 습관을 만들어낼 수가 있다.

◎ 가장 주요한 훈련 중에 한 가지는 바로 'Energy and Emotion Model'이다. 에너지레벨을 통제하고 자신의 한계를 느끼는 것이 중요하다. 모든 에너지를 순간적으로 '과감성'을 발휘해 나타내고 표현해봄으로서 자신의 한계가 어느 정도인지를 이해하게 된다. 이러한 자신의 한계는 무형적인 것이기 때문에 실제로 경험해보지 못한다면 알 수가 없는 것이다. 그렇기 때문에 그 한계를 반복적으로 경험함으로서 정확하게 이해하고 있는 것이 중요하다. 더불어 그 경험을 통해서 필요한 순간에 에너지를 자연스럽게 통제할 수가 있게 될 것이다. 이와 더불어 비언어적인 의사소통을 훈련하는데 목소리의 크기와 톤 그리고 전달력을 키우는 방법을 훈련하게 된다. 자기 자신을 스스로 신뢰하고 그러한 '자신감'이 넘치는 소통을 하는 데에 초점을 모은다. 자신이 가진 잠재력을 이해하고 스스로의 존재와 그 영향력을 그룹코칭을 통해 아주 빠른 시간 내에 경험을 통해 배우고 스스로를 이해할 수가 있게 될 것이다.

◎ '자아개방훈련'에서는 자신의 내면에 있는 내적가치를 탐구한다. 과감성, 즉흥성, 즐거움, 일관성, 확고함, 남성성, 침착함, 여유 등과 같은 가치를 끌어내는 것에 초점을 맞추고 있다. 이러한 내적 가치를 상대방에게 전달하는 것이야말로 가장 빠른 시간 내에 상대방에게 남성으로서의 높은 가치와 권위, 그리고 매력을 전달할 수 있는 방법이다. 이러한 가치들이야말로 Natural 로서 자신에게 잠재되어진 요소라고 할 수가 있다. 불확실성속에 자신을 던지고 그 안에서 확고하고 일관된 태도로 상황대처를 하는 능력이야말로 남성의 '높은 생존적 가치(higher survival value)'를 가장 빠르게 나타낼 수 있는 방식이다. 이러한 높은 가치의 표현, DHV(demonstration of higher value) 이 곧 자신의 삶속에 녹아날 수 있는 본질적인 훈련에 집중하는 것이다. 이를 통해 언제 어디에서든지 미리 준비를 하지 않고도 충분히 자기 자신이 가진 최상의 느낌을 만나는 모든 이들에게 전달할 수가 있게 된다.

◎ 'Zero zone mindset', 그 무엇보다도 중요한 것 중 한 가지는 바로 개인의 사고방식이다. 우리에게는 '제로존 사고방식'이 필수적으로 요구된다. 이것은 곧 하나의 필수적인 전략이라 할 수가 있다. 자신의 변화와 발전에 있어서 그 어떠한 핑계, 변명, 합리화, 정당화 등을 용납하지 않겠다는 것이다. 왜냐하면 이러한 정신적인 자위행위가 곧 '자기제한적신념'으로 이어지기 때문이다. 관객주의에서 벗어나 자신이 주인공으로서 '행동'하고 '실천'하는 것에 초점을 맞추는 것이 중요하다. 생각을 하고 미리 준비를 해서 행동하는 것이 아니라 곧바로, 그 즉시 행동하는 것이 굉장히 중요하다. 기존의 'Three second rule' 이라고도 하는 이 법칙을 지킴으로서 우리는 새로운 현실을 마주하게 될 것이다. 더 이상 불확실성을 없애기 위해 정신적인 자위를 하는 것이 아니라, 그 불확실성속에 과감하게 들어갈 수 있는 남성이 되어야만 할 것이다. 그게 바로 내츄럴의 길이다. 더불어 그 불확실성속에서도 항상 생산적이고 긍정적인 결과를 나타낼 수 있게 하는 '임기응변 능력'은 필수적이다. 우리는 위기를 모든 수단과 방법을 동원해 극복하고 성공하는(YES) 남성(MAN)이 되어야만

한다.

◎ 'Being Present', 현존을 통해서 우리는 지금 이 순간에 충실한 삶을 살아갈 수가 있다. 더 이상 과거를 후회하거나 미래를 기다리는 삶을 살아서는 안된다. 현존 속에서 우리는 지금 이 순간을 최고의 순간으로 만들어 나가는 법을 배우게 된다. 어떤 결과보다 과정을 그리고 지금 이 모든 순간들을 즐기며 누리는 법을 이해해야만 한다. 지금 이 순간에 저항하며 '결핍함'에 빠져있기보다는 지금 이 순간을 수용하고 마주하는 방향성을 향해야만 한다. 우리가 행하는 모든 것은 어떤 '결핍함'을 '소비자'로서 해결하기 위함이 아니다. 우리가 행하는 모든 것은 이미 '풍족한 자원'속에서 '주인공'으로서 그러한 '모험'과 '과정'을 모두 누리기 위함이다. 항상 불안함에 떨면서 지금의 결핍함을 해결하기 위한 삶에서 벗어나야한다. 항상 남성으로서 안정감과 편안함을 누리며 살아야 한다. 사실 그러한 마음의 상태는 너무나 당연한 것이다. 더불어 매 순간을 충실하게 살아가다 보면 더욱 큰 즐거움을 누리게 될 것이다. 랄프 왈도 에머슨과 에크하르트 톨레의 사상과 철학을 실제 삶에 적용함으로서 우리는 더욱 고차원적인 의식 상태에 도달하게 될 것이다. 현존 속에 삶을 살아가는 사람들은 보기 드문 수준의 존재감을 발휘하며 삶을 살아가게 된다.

◎ 'Peak State and Resourcefulness', 우리는 모든 감정 상태와 내적인 자원들을 안에서부터 끌어올 수 있다는 사실을 이해해야만 한다. 더불어 자신의 외부세계는 내면을 비추는 거울이라는 사실도 함께 이해한다. 사람들은 자신에게 어느 정도의 잠재적인 '자원'이 있는지를 이해하지 못한다. 항상 피상적인 자원을 찾아 나서며 그것이야말로 성공에 도움이 된다고 느낀다. '돈이 부족하다.' 혹은 '시간이 없다.'와 같은 핑계를 대지만 사실은 그러한 피상적인 자원의 부족이 아닌 '열정, 도전정신, 끈기, 야망, 집념, 자신감' 등과 같은 내면적인 자원이 부족해서 실패하는 경우가 대부분이다. 우리에게는 이러한 내적인 가치를 스스로의 내면에서부터 찾아내고 그것을 발휘하며 살아갈 책임과

의무가 있다. 그것이야말로 자신의 삶을 진실 되게 사는 방법이다. 더불어 그러한 '가치(value)'들은 곧 매력이 되고 다른 사람들에게 전달할 수 있는 일종의 감정적인 값어치를 갖게 된다. 구걸하고 애원하는 '테이커(taker)'가 되기보다는 먼저 사람들에게 영향을 끼치고 강한 존재감을 발휘하는 '기버(giver)'가 되어야 할 것이다. 다른 사람들이나 외부로부터 자신감과 즐거움을 구걸하는 것이 아니라, 내가 먼저 안에서부터 자신감과 즐거움을 발휘하고 전달 할 수만 있다면 우리는 굉장히 주도적이고 영향력을 발휘하는 리더(leader)로서의 삶을 살아갈 수가 있게 될 것이다. 그리고 그러한 자만이 많은 여성을 거느릴 수 있는 알파메일(alpha male)이 될 자격이 있다고 믿는다. 위에서 설명한 모든 것들은 누구나 이루어낼 수 있고, 내츄럴(natural)이 되고 싶다면 반드시 훈련해서 익혀야하는 것들이다. YMC에서는 이러한 방향성과 전략 속에서 '훈련'과 '실습'을 실시하고 있고, 생각보다 빠른 시간 내에 이 모든 것을 배울 수가 있다.

위에서 설명한 훈련의 방향성들은 무의식적으로 행동하면서 동시에 최상의 결과를 만들어내고 자신의 모든 잠재력을 발휘할 수 있는 길이다. 자신이 될 수 있는 최고의 자기 자신을 스스로 억제하고 있다는 사실을 우리는 이해를 해야만 한다.

그것을 누군가는 '이성'이라고 부를 수도 있지만, 그러한 '이성'이 아닌 '자의식(self-consciousness)'이 우리를 억제하고 있을 가능성이 매우 크다. 랄프 왈도 에머슨도 우리가 사회를 살아가면서 학습된 자의식을 버리고 다시 어린 아이처럼 돌아갈 수만 있다면 '자기신뢰'를 회복할 수 있을 탠데 라는 이야기를 하기도 한다.

물론 사람은 항상 선하기를 바라는 마음이 있기 때문에 자신의 생각과 행동에 대해서 끊임없이 합리화와 정당화를 하게 된다. 누구나 어떤 생각과 행동을 하는 데에는 특별한 이유가 존재하는 것이다.

합리화와 정당화를 하면서 자신의 행위에 대해서 계속적인 '의미부여'를 하다보면 결국 그렇게 함으로서 자신이 특별하다는 믿음에까지 도달하게 되는

데 스스로의 한계를 만들어냄으로서 스스로가 특별하다고 생각하는 희한한 믿음 속에서 너무나 많은 이들이 자신의 삶을 낭비하고 있다. '자기제한적신념(self limiting belief)'을 가진 사람들은 자유를 상실한 현대판 노예라 할 수 있으며 우리 사회의 권력자들에게 반드시 필요한 사람들의 '신념'이라고 할 수가 있을 것이다. 우리는 스스로를 가두고 그 안에서 특별함을 느끼며 동시에 노예가 되기를 자처하고 있는지도 모르겠다.

자기 자신을 억제하고 있던 그 정신적인 베리어(barrier)를 깨부수는 과정이 어렵게 느껴지는 이유는 그러한 '정신적인 장벽(mental barrier)'만이 자신의 자아(ego)를 유지시켜온 확실한 근거와 특별함이기 때문이다. 그렇기 때문에 사람들은 스스로의 정신적 장벽이 스스로를 억제하고 제한하는 것을 이해하면서도 그러한 억제와 제한이 필요하다는 강한 믿음을 유지하며 살아가게 되는 것이다. YMC 의 방향성은 이러한 장벽을 제거하고 자신이 발휘할 수 있는 최상의 퍼포먼스(performance)를 삶속에서 실현하는 데에 초점을 맞춘다.

자기 자신에게 100% 솔직해진다면 누구나 자신이 만족하지 못하는 '현실' 이전에 이미 그에 대한 '정신적인 장벽'이 존재하고 있음을 이해하게 될 것이다. 그러한 장벽 때문에 자신이 도달하고 싶은 현실에 도달하는 것을 스스로 억제하고 제한하고 있다는 사실을 우리는 알아야만 한다. 사회의 탓도 여자의 탓도 아닌 자신의 정신적인 문제에 모든 것이 달려있다는 것이다.

그렇기 때문에 이러한 정신적인 장벽을 넘어서기 위해 다양한 훈련들을 실행하고 있다. 이러한 훈련들은 '과감성, 즉흥성, 즐거움, 확고함, 일관성, 남성미, 침착함, 여유 등'과 같은 내적가치를 실현하며 동시에 자신의 장벽을 깨부수는 행동을 실행하게 된다.

처음에 이러한 훈련을 행할 때에는 굉장히 어색할 수가 있다. 왜냐하면 자신이 행하는 것이 스스로 행한다고 느껴지지 않기 때문일 것이다. 그동안 유지해온 정신적인 장벽을 넘어서는 행동을 해야만 하고, 그동안 생각으로 정의 내려온 자신의 제약에 대한 (부정적인) 특별함을 모두 없애야만 하기 때문에 굉장히 힘이 드는 과정일수도 있을 것이다.

그러나 우리는 이러한 훈련을 통해서 진정한 자신이 될 수 있음을 이해해야만 한다. 자신이 가진 모든 잠재력을 발산하고 최고의 자신을 나타낼 수 있음을 이해해야만 한다. 그리고 그러한 최고의 자기 자신이 진정한 자신일 수 있음을 이해해야만 한다. 정신적인 장벽을 헐어버리고 무한한 잠재력의 세상으로 스스로를 밀어붙여야하는 것이다. 그 무한한 잠재력은 불확실성으로 가득하지만 그 안에 우리가 바라는 이성관계의 성공, 자신감, 매력, 리더십, 열정, 동기, 개성, 고유함, (긍정적인) 특별함 등이 존재하고 있는 것이다.

◎ 더욱 구체적으로 YMC 에서는 비언어적 의사소통(sub communication)를 통제하는 훈련을 반복적으로 실시하게 된다. 이러한 비언어적 의사소통 통제 훈련과 동시에 즉흥판매 훈련을 통해 '임기응변', '상상력', '창의력', '상황대처능력', '반대극복능력', '위기극복능력' 등과 같은 즉흥성을 바탕으로 하는 다양한 능력을 키우는 것에 초점을 맞춘다.

이러한 과정에서 몸으로, 소리로, 눈빛으로, 표정으로 대화를 하는 제 2의 언어를 배우고 숙달하게 된다. 여성과 소통을 잘하기 위해서는 이러한 능력을 계발하는 것이 더 좋다고 판단이 되기 때문이다.

즉흥판매훈련과 더불어 이미테이션훈련 등을 통해 우리는 다양한 상황에 즉각적으로 대처하고 자신을 표현하는 방법을 배우게 된다. 즉흥성과 더불어 가장 중요한 내적가치 중 하나로 여겨지는 '과감성'에는 순간적으로 자신의 열정을 표출하거나 "YES!"라는 구호를 자신의 모든 에너지를 담아 외치는 것과 같이 순간적으로 자신을 발산하고 표현하는 것에 초점을 맞춘다. 물론 이러한 과감성에는 당당함과 뻔뻔함 그리고 일관성이라는 가치가 함께 따라와야만 한다. 어찌 보면 객기와 자신감은 한 끗 차이일수도 있다. 훈련을 통해서 '객기'가 아닌 '자신감', '당당함', '일관성', '자기확신', '자기신뢰' 등의 에너지가 표출되고 표현될 수 있도록 나아가는 것이 매우 중요하다.

역동성을 만들어내는 '에너지레벨 통제훈련'도 함께 실시가 되는데 이러한 역동성(dynamics)을 어떻게 증폭시켜나가고 다시 줄여나가는지에 대한 확실한 행동을 바탕으로 하는 경험을 통해서 언제든지 적절한 수준의 에너지레벨을 발산하고 표현해 낼 수 있도록 훈련한다. 역동성을 만들어내기 위해서는 에너지레벨을 밀어주면서 조금씩 미세하게 증폭시켜나가는 것이 필수적인데 이러한 능력을 갖기 위해서는 반드시 에너지레벨 통제를 자신이 할 수 있는 최고의 상태로 해낼 수 있는 것이 매우 중요하다.

자신의 '희노애락'을 표현하는 것만큼 스스로의 개성이나 고유함 혹은 자기 자신을 보여줄 수 있는 길은 없다는 생각이 든다. 물론 사람들은 '즐거움'과 '재미'라는 감정, 다른 말로 표현하자면 '자신의 기분을 좋게 하는 것'에 쉽게 저항하지 못하는 것처럼 느껴진다. 실제로 '생존적 가치'와 더불어 높은 가치라고 사람들에게 여겨지는 것은 우리의 기분을 좋게 하는 모든 것이라는 이야기도 존재한다. 그만큼 사람의 기분을 좋게 해주는 것은 매우 중요하다. 물론 이 사실은 모두가 이해하고 있을 것이다. 하지만, 대부분의 사람들이 이해하지 못하는 것은 바로 누군가에게 즐거움이나 재미라는 가치를 전달하기 위해서는 자신이 그러한 가치를 먼저 가지고 느끼고 있어야한다는 것이다. 그 누구도 자신에게 없는 것을 타인에게 줄 수는 없을 것이다.

대응적인 사람들이 이성관계의 성공을 위해 사용하고 있는 '동물원 원숭이 전략'이라는 것은 결국 자신은 기분이 좋지 않은데 상대방의 기분을 좋게 만들려고 애쓰는 순간을 지칭하고 있다. 거지가 부자에게 돈을 주려고 애쓰는 것처럼 기괴한 순간은 없을 것이다. 근데 이성관계에서 너무나도 많은 남성들이 이러한 전략을 사용하고 있다.

만약에 내가 먼저 즐거움이나 재미라는 가치를 내가 느끼고 갖고 있어야한다고 조언을 해주게 되면, 대부분의 남성들은, "내 인생이 우울한데요? 재미가 없는데요?"라며 반박을 한다. 사실 사람은 즐거움이나 재미를 "그냥" 느낄 수가 있다. 물론 정신적인 장벽과 사회의 지속적인 세뇌 그리고 특별한 자기제한적신념속에서 사람들은 스스로를 기분 좋게 만드는 법을 잊은 것처럼 느껴질 수밖에 없을 것이다.

스스로의 스테이트(state)를 자신이 원하는 방향으로 나아가게 하는 것은 모두 자신에게 달려있다. 그것은 100% 본인의 책임이다. 스스로를 기분 좋게 만들어내는 것, 그리고 그 즐거움을 표현하여 내 주변 사람들과 함께 공유하는 것만큼 강력한 가치는 없다. 꼭 '유머'를 해야 하는 것이 아니다. 그 핵심에는 기분 좋은 감정 상태와 그것의 전달에 달려있다고 본다.

NLP 에서는 이러한 감정 상태를 Peak State 라고 지칭하고 있으며 다른 말로 Resourcefulness 라고 이야기를 하기도 한다. 미국의 이성관계코칭 업체인 RSD 에서는 이를 Self-amusement 라고 부르고 있다.

스스로를 기분 좋게 만드는 것은 생각보다 굉장히 단순하다. 너무나도 단순해서 어이가 없을 정도이고, 정말 그것이 될까라는 의문이 들기도 한다. 물론 본인 스스로를 믿지 않는 상태에서는 그에 상응하는 감정 상태인 '불신'만이 자신을 지배하게 될 것이 뻔하다. 더불어 모든 부정적인 감정은 결국에는 '분노'로서 표출이 되기 때문에 '자기불신'이나 '자기의심'과 같은 감정 상태를 가져봤자 성장에 아무런 도움이 되지는 않을 것이다.

만약에 자신의 스테이트(state)를 바꿀 수만 있다면 우리는 미리 성공적인 사람들의 감정 상태를 느껴보는 훈련을 실시하게 될 것이다. 그러한 훈련을 통해서 우리는 성공적인 사람들은 이미 하루를 시작할 때에 혹은 여성에게 처음 접근할 때에 그러한 감정 상태로 접근을 한다는 부분을 이해해야만 한다. 이것이야말로 '주도성'의 완전체이다.

대응적인 사람들은 특정한 '결과'가 나타나야만 자신의 스테이트(state)가 바뀔 것이라는 생각에 사로잡혀있다. 그리고 항상 자신의 스테이트를 바꿀 수 있는 이성적인 증거를 찾아 헤맨다. 심지어 그러한 증거가 나타난다고 할지라도 '자기불신'이나 '자기의심'이 다른 스테이트로 바뀌지 않는 현실에 혼란을 겪기도 한다. 불신과 의심의 감정이 너무나도 강하기 때문에 긍정적인 감정이 치고 들어올 자리가 없음을 이해하지 못한다. 증거를 찾는 것이 중요한 것이 아니라 지금 이 순간 스스로를 믿고, 확신하고, 신뢰하며 과감하게 행동하는 것이 그 무엇보다도 중요하다.

그 무엇보다도 자신의 기분을 긍정적이고, 좋은 느낌의 즐거움과 재미 안에 빠져있는 감정 상태로 이끌어나가는 것이 매우 중요하다. 그리고 그러한 느낌 안에서 다른 사람들과 '바이빙(vibing)'을 일관되게 유지하면서 눈만 마주친다고 할지라도 다른 사람들에게 쉽게 긍정적인 영향을 끼칠 수가 있게 될 것이다. 낮은 가치를 숨길수가 없는 것처럼 높은 가치 역시 숨길수가 없는 법이다.

그렇게 우리는 먼저 자신안의 '존재감'을 느끼고 통제하며 그것이 '영향력'으로 이어지는 순간까지 계속해서 의식적인 훈련을 실시해야만 할 것이다. 더불어 이러한 훈련을 통해 결국에는 그 모든 존재감과 영향력이 무의식적으로 표출되고 표현될 수 있도록 올바른 방향성을 잘 수립하는 것이 그 무엇보다 중요하다.

더불어 훈련의 실체는 결국 '어프로치(approach)'이다. 어프로치를 하지 않고는 훈련하고 있다고 말할 수는 없는 법이다. 누구에게든 접근해서 자연스럽게 대화를 하고 소통을 하고 공감대를 형성할 수 있는 수준은 아주 기본 베이스라고 할 수가 있다. 누구나 이렇게 하는 법은 오늘부터 당장 실천할 수가 있다.

높은 가치고 존재감이고 영향력이고 나발이건 간에 일단은 누군가에게 접근을 하여 편안하게 최소 5분정도는 대화를 할 수 있는 능력을 갖춰야하는 것이다. 그 다음에 어떻게 하면 그 대화를 더욱 임팩트(impact)있게 이끌어 갈 것인지, 혹은 자신의 존재를 상대방에게 각인(anchoring) 시킬 것인지에 대해 고민을 해야 할 것이다.

일단 최소 5분에서 30분 정도는 편안하게 대화를 나눌 수 있을 때까지 어프로치를 해본 다음에 이 책에 나오는 내용이 200% 이해가 될 것이고, another level에서 도움이 될 수가 있을 것이다.

너무나도 많은 사람들이 처음 만난 여성과 (혹은 사람과) 5분에서 30분 정도 편안하게 대화하는 것을 불안해하고 두려워하는 것 같다. 그리고 그러한 상황을 회피하기 위해서 가면(persona)을 쓰게 되거나, 자신의 이미지(ego)를 강화시키게 되는 것이다. 우리는 그저 있는 그대로 내츄럴(natural)하게 자기 자신으로서 어프로치(approach)를 하고 그 모든 불안함과 두려움을 마주하는 법을 배워야만 한다. 그렇기 때문에 3초안에 어프로치를 하라는 것이다. 일단 가서 무슨 말이든지 그냥 나오는 대로 해보라는 것이다. 창피를 당할지라도 그렇게 행동하는 것이 장기적으로 봤을 때에는 가장 빠른 지름길이라 믿는다. 멘트를 외우거나 마술을 해봤자 결국 찌질 하고 소심한 자기 자신을 그 뒤에 숨길뿐이기 때문이다. 알을 까고 나오듯이 진정한 자기 자신으로서 새롭게 만나는 사람과 서슴없이 5분에서 30분정도 자연스러운 대화를 할 수 있도록 계속해서 반복적인 어프로치를 실시하기 바란다. 그리고 그렇게 할 수 있을 때에 이 책에 나온 내용들을 바탕으로 더욱 효과적이고 영향력 있고 스스로의 존재감이 느껴지는 어프로치로 발전시켜보길 바란다. 이성관계에서의 성공과 행복이 다른 사람들의 삶에만 존재하는 것이 아니라, 내 삶에서도 지금 당장 실현 가능하다는 사실을 얼마 지나지 않아 100% 확신하게 될 것이다.

더불어 '노래방'에 가서 감정이입을 하고 그 감정을 살려서 노래를 지속적으로 해보는 것이 '소통'에 굉장히 많은 도움이 될 것이다. 그렇기 때문에 평소에도 노래방을 자주 가는 습관을 가져보기를 바란다. 그리고 즐기면서 노래를 부르다보면 여성을 만났을 때에 어떠한 감정으로 에너지로 소통해야하는지에 대한 방향성을 느낄 수가 있게 될 것이다.

■ 작가의말, '유혹의시대'

유혹에 대한 완벽한 한권의 책을 써내기 위해서 미루고 미루었던 출판을 이번에는 꼭 하겠다고 마음을 먹었다. 일단 출판을 한후에 추후에 개정판을 내놓는 한이 있어도 일단은 출판을 하고 싶은 마음이 강했다. 비록 이 책이 완벽하지 않을수는 있지만 이 사회를 향해 한시라도 빨리 '유혹'에 대한 메시지를 던져야겠다는 생각이 들었다. '유혹'에서부터 나아가 '자아인식', '자아실현', '자기계발', '성장과 발전:진화', '부의축적' 등과 같은 다양한 주제에 대해서도 이야기를 해나가고 싶다.

우리는 유혹의 시대에 살아간다. 더 이상 이성에게 밥만 사준다고 해서 혹은 소개로 이성을 만나는 시대가 아니다. 유혹의 시대에 살아남기위해서는 간절해야하고 그 간절함속에서 해야만하는것을 반드시 해내야만 한다.

우리는 그 어떤 시대보다도 이성관계의 가뭄과 파탄속에서 살아간다는 생각이 든다. 결혼, 출산, 이혼이라는 주제에 대해서 조금만 공부를 해보면 우리나라가 얼마나 심각한 상황인지를 인지하게 된다. 더불어 2050년에는 우리나라 고령화인구(만65세)가 인구 전체의 40%에 달할것이라는 통계 역시 우리의 현실을 보여준다. 우리는 유혹의 시대에 살아가고 있는것이다.

"유혹하라. 그것은 죄가 아니다."라고 나는 말하고 싶다. 더불어 **"유혹하라. 또 유혹하라."**라고 외치고 싶다. **"자신이 진정으로 바라고 원하는 이성을 찾을때까지 절대로 멈추지 마라."**그리고 **"절대로 포기하지 마라."**

어차피 완벽한 사람은 없으니 현실과 타협할줄도 알아야한다. 사실 나는 어찌보면 결혼시기를 놓쳤다. 내가 사랑했던 사람들을 모두 보내야만 하는 아픔도 겪었다. 유혹자이면서 동시에 내가 다시 그런 사랑을 할수있을까라는 질문을 스스로에게 던지기도 한다. 자신이 좋아할수있는 사람, 그리고 상대방도 나를 진실되게 좋아하는것 같다면 왠만하면 결혼하고 아이를 낳고 살아야 한다.

이 유혹의 시대에 살아남기 위해서는 반드시 성공적인 유혹자가 되어야 한다. 비록 지금 당장은 유혹에 대한 개념도 없고, 그것을 하는것에 대한 사회적 거부감이 있을지도 모르겠다. 근데 이렇게 우리나라의 문화나 사회적인 견해가 보수적으로 흘러가다가는 정말 노인밖에 남지 않고, 제대로된 관계가 형성 되지 않아서 이혼률은 더욱 높아지게 되고 (이혼을 하는 이유는 서로 사랑하지 않아서, 다른말로 하자면 서로를 유혹을 하는것에 성공하지 못해서), 출산률은 더욱 최악을 향해 나아가게 될것이다.

지금이라도 유혹의 시대에 '유혹자의 흐름'에 빠져들어라. 절대 보수적인 세상의 견해에 흔들리지 말아라. 이 사회가 당신의 삶을 살아주지 않는다. 마음의 목소리를 듣고, 정말 원하고 하고 싶은것을 하면서 자유롭게 살아라. 자신이 하는 행동에 100% 책임을 저라.

"이리저리 바람에 흔들리는 갈대처럼 세상의 견해에 흔들리지 말고, 반드시 성공적인 유혹자가 되어라. 유혹의 시대의 선구자가 되어라. 아직 늦지 않았다."